Cahier de travail et de laboratoire
pour accompagner

En Bonne Forme

Cahier de travail et de laboratoire
pour accompagner

En Bonne Forme

Fifth Edition

Simone Renaud Dietiker

formerly of San José State University

D. C. Heath and Company
Lexington, Massachusetts Toronto

Address editorial correspondence to:

D. C. Heath
125 Spring Street
Lexington, MA 02173

To the Student

This lab manual and workbook reinforces and expands upon the knowledge you have acquired in each chapter of *En Bonne Forme*; it also reviews the rules of French pronunciation that you learned during your first-year course. It will help you to become more fluent and more confident by providing opportunities for hearing, speaking, and writing the French language. Be sure to complete the chapter in *En Bonne Forme* before you start work on the corresponding chapter in the *Cahier*.

Oral Drills

The first part in each of these chapters — *Première partie* — is strictly oral and is done in the lab without the *Cahier*. It is designed to help you achieve automatic control of your new language so that speaking will become effortless — and pleasurable. The first two sections consist of factual questions and true-false statements that are based on the reading selections in *En Bonne Forme*. Reread the *Texte* and be very sure of its contents and vocabulary before you go to the lab. Your success in answering the questions and completing the true-false exercises will depend upon how well you know the *Texte*. Both sections test your comprehension of the reading selection as well as your ability to understand French spoken at normal speed.

Pattern drills — *Transformations* — are the other activity in the *Première partie*. The *Transformations* provide oral practice of certain important grammatical points that have been presented in *En Bonne Forme*; these exercises test, for example, your ability to respond quickly, transforming verbs

from the present into the *passé composé* or changing noun objects to pronoun objects.

Oral-Written Exercises

The second part in each chapter — *Deuxième partie* — is done with cassettes and the *Cahier*. The main purpose of the *Deuxième partie* is to increase your ability to identify and master sounds. The various drills* in the *Prononciation* section will help you to pronounce correctly what you see and to spell correctly what you have learned to pronounce. Before you go to the lab, read and understand the rules which appear above each group of words. These rules are not repeated verbatim on the tape; only a short summary is given before the words are pronounced.

The sound discrimination drill — *Dictée de sons* — requires you to circle one of three words upon an oral cue from the tape. This exercise reviews and contrasts some of the sounds you have just practiced in the *Prononciation*.

Either a poem or a *dictée* comes next. You may wish to learn the vocabulary of the poems before listening to them so that you will understand each sentence as you repeat it after the speaker. The *Dictée* will enable you to see how well you have assimilated the material in all language areas — word recognition, agreements, and spelling. A comprehension exercise completes the *Deuxième partie*. You will hear a dialogue or a short story read

---

*Parts of the phonetics lessons have been borrowed from the *Manuel de prononciation* by Simone Renaud Dietiker and Hervé Le Mansec. (1972).

twice. At this point you are asked to stop the tape and to answer the questions written in your *Cahier*. After you are finished, you start the tape again and listen to the correct answers. (More than one answer may be correct. Consult your instructor if you are in doubt.)

Written Exercises

The third part in each chapter — *Troisième partie* — is comprised of written exercises; some of them are similar to the ones in *En Bonne Forme*, but many are quite different. All review or recombine in new ways certain grammatical points and vocabulary that you have studied in class. When completing the fill-in exercises which appear in a story or dialogue, try to think in French.

At the end of each chapter is an illustration, followed by suggested vocabulary. Each illustration depicts a situation that is related to the *Texte* in the corresponding chapter. You will be asked to write a short theme about this situation. Be sure to study both the illustration and the vocabulary before you begin to write. You may want to use more than one of the suggested words in the same sentence; you may want to repeat the suggested words in more than one sentence — try to use *all* of them. You will of course need to supply additional words in order to create interesting compositions. Vary your sentences, use dialogue with narrative — above all, use your imagination!

Maintenant, au travail! Bonne chance!

Table des matières

Alphabet phonétique

voyelles

[i]	il, livre, stylo
[e]	bébé, aller, papier, les, allez
[ɛ]	fenêtre, père, lait, hôtel
[a]	madame, patte
[ɑ]	pâte, classe
[ɔ]	porte, homme, donne
[o]	pot, eau, pauvre
[u]	ou, vous
[y]	du, tu une
[ø]	deux, monsieur
[œ]	professeur, fleur
[ə]	le, de, monsieur
[ɛ̃]	vin, main, bien
[ɑ̃]	France, content
[õ]	mon, non, oncle
[œ̃]	un, lundi

semivoyelles

[j]	papier, crayon, fille
[w]	oui, soir
[ɥ]	huit, nuit

consonnes

[p]	porte, soupe
[t]	table, thé
[k]	comment, quatre, coin
[b]	bonjour, bonne
[d]	du, de
[g]	garçon, bague
[f]	femme, photo
[s]	sa, classe, ça, nation, ce
[ʃ]	chambre, chez
[v]	voir, venir, wagon
[z]	zéro, chaise, deuxième
[ʒ]	Georges, gym, jeune
[l]	la, aller, livre
[ʀ]	rouler, roue, vivre
[m]	manger, maman
[n]	nous, tonne
[ɲ]	magnifique, vigne
[ŋ]	camping

Test

A. Write the appropriate definite article **(le, la, l')** before each noun.

1. .... conversation
2. .... université
3. .... liberté
4. .... oiseau
5. .... gouvernement
6. .... addition

B. Write the appropriate indefinite article **(un, une, des)** before each noun.

1. .... position
2. .... événement
3. .... opérations
4. .... noms
5. .... château
6. .... conjonction

C. Insert the adjective in parentheses in the appropriate place in these sentences. Be careful of agreement.

1. (*important*) C'est une difficulté. ....
2. (*bon*) Voilà un professeur. ....
3. (*élégant*) Vous avez une robe. ....
4. (*intelligent*) Ils ont des filles. ....

D. Insert the correct possessive adjective into each sentence.

1. (*my*) C'est le livre. ....
2. (*your:* polite form) Voilà l'autobus. ....
3. (*her*) C'est le professeur. ....
4. (*his*) La mère est malade. ....
5. (*their*) Ils ont des habitudes. ....
6. (*our*) Nous avons le livre. ....

E. Repeat the following sentences, replacing the noun in italics with a personal pronoun.

1. *Les étudiants* sont intelligents. ....

2. *Ma mère et moi* allons en ville. ....

3. *Georges et toi* êtes fiancés? ....

4. Je regarde *la télé*. ....

5. J'aime *la musique de jazz*. ....

6. Je parle *à Pauline?* ....

7. Tu écris *à tes parents?* ....

8. Elle se promène avec *sa sœur*. ....

F. Supply the appropriate relative pronoun (**qui** or **que**) in the following sentences.

1. J'ai un chien .... s'appelle Daniel.

2. Nous aimons ce chien .... nous avons trouvé.

3. Je déteste les personnes .... fument au restaurant.

4. Le restaurant .... je préfère n'est pas le plus cher.

G. Write the correct form of these verbs in the present tense.

1. **(être)**   Nous .... dans la classe.

                         Tu .... fatigué?

                         Ils .... malades.

2. **(avoir)**   Elle .... une auto rouge.

                         J' .... le temps.

                         Vous .... vos papiers.

3. **(aller)**   Je .... en ville.

                         Il .... à l'université.

                         Vous .... en France.

4. **(parler)**   Tu .... français.

                         Elle .... italien.

                         Nous .... russe.

                         Ils .... japonais.

H. Repeat the following sentence in the negative.

Les étudiants sont dans la classe.

....

I. Transform the following statement into a question in two different ways.

Cette leçon est difficile.

....

....

J. Identify each of the italic words in the following sentences by circling one of the grammatical terms in the right column.

1. *Allons* au cinéma ce soir.   Impératif   Indicatif   Verbe pronominal

2. Il veut que *j'aille* à son mariage.   Indicatif   Subjonctif   Conditionnel

3. Nous *la* comprenons.   Article   Pronom personnel   Pronom démonstratif

4. Je dîne *avant* le spectacle.   Conjonction   Adverbe   Préposition

5. *Qui* vous a dit cela?   Pronom interrogatif   Pronom relatif   Pronom indéfini

6. *Mon* mari aime le champagne.   Article   Adjectif possessif   Adjectif démonstratif

The Answer Key for this test appears on p. 191.

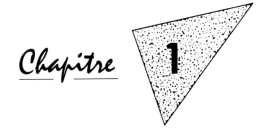

Chapitre **1**

Le présent et l'impératif

Première partie: exercices oraux

Faites ces exercices au laboratoire, sans cahier. Ecoutez le speaker, répondez aux questions, faites les transformations.

Deuxième partie: exercices oraux / écrits

Faites le travail de cette partie au laboratoire, avec votre cahier.

I. Prononciation.

1. Révision du /ʀ/. Essayez de prononcer un **h** très fort, en laissant le dos de la langue frotter contre le palais.[1] La pointe de la langue reste derrière les dents du bas.
   Répétez chaque mot après le speaker.

merci	marque
cirque	Franck
turc	Laurent
porte	quartier

2. Le /ʀ/ final. Le son /ʀ/ final est très faible. Souvent on peut le laisser tomber.

bonjour	ascenseur
mur	trottoir
tour	affaire
soir	voleur

3. Les orthographes **-ille, -il.** Remarquez la prononciation différente de ces groupes dans les mots suivants.

-ille /ij/:	fille	vanille	famille
-ille /il/:	mille	ville	tranquille
-euille, -euil /œj/:	feuille	fauteuil	
-eille, -eil /ɛj/:	corbeille	soleil	
-aille, -ail /aj/:	mitrailleuse	ail	
-il /i/:	fusil	persil	

[1]letting the back of the tongue rub against the palate

4. L'orthographe **-ion** /jõ/

    direction   action

5. Mots difficiles.

    chariot métallique   bouteille de Pschitt-Orange
    corbeille-filet   yaourt
    un ananas   les gars
    cambrioleur   les rafales de mitrailleuse
    meilleur

II. L'intonation de la phrase impérative.   Une phrase impérative suit le schéma suivant.

<u>Prends</u> ↘

    <u>du beurre</u> ↘

        <u>à la crémerie.</u> ↘

Répétez les phrases suivantes. Imitez le speaker.

1. Allez. Vas-y. Dépêche-toi.

2. Va chercher des yaourts.

3. Courons jusqu'au bout de la rue.

4. N'oubliez pas d'acheter du sucre.

III. Dictée de sons.   Le speaker prononce un mot. Vous choisissez et vous encerclez (*circle*) le mot que vous entendez. Le speaker vous donne la réponse.

Modèle: (1) boule   (2) balle   (3) bol   *balle* (2)

	(1)	(2)	(3)
1.	feuille	fille	faille
2.	longtemps	l'automne	l'auto
3.	le pain	la peine	la panne
4.	paye	paille	pays
5.	vieille	vielle	veille

IV. Dictée.   Le speaker lit la dictée deux fois. La première fois, vous écoutez. La deuxième fois, écrivez!

_____

_____

_____

_____

_____

_____

_____

_____

_____

_____

_____

_____

V. Compréhension. Au marché. Ecoutez le texte, qui sera lu deux fois. Ensuite, arrêtez la machine, et écrivez les réponses aux questions ci-dessous. Puis, écoutez les réponses correctes.

1. Quel marché est-ce que Véronique et Anne-Marie préfèrent? _____

_____

2. Quel jour vont-elles à ce marché? _____

_____

3. Où sont les marchands? _____

_____

4. Où est-ce qu'ils placent leurs produits? _____

_____

5. Quelles choses délicieuses est-ce que Véronique et Anne-Marie achètent? _____

_____

6. Est-ce qu'on trouve des vêtements dans ce marché? _____

_____

7. Où est-ce que Véronique et Anne-Marie placent leurs provisions? _____

_____

8. Pourquoi est-ce que Véronique n'est pas contente? _____

_____

Troisième partie: exercices écrits

I. Révision des verbes. Donnez le présent des verbes suivants, à la personne indiquée.

1. je (s'en aller) _____
2. nous (voyager) _____
3. vous (croire) _____

4. ils (vivre) _____
5. tu (dormir) _____
6. vous (dire) _____
7. elle (ouvrir) _____
8. nous (commencer) _____
9. vous (faire) _____
10. elle (partir) _____

11. il (essayer) _____
12. vous (réussir) _____
13. nous (comprendre) _____
14. nous (répondre) _____
15. tu (suivre) _____
16. elles (mourir) _____
17. je (pouvoir) _____
18. il (vouloir) _____
19. elles (préférer) _____
20. vous (venir) _____

3

II. Mettez les verbes suivants à l'impératif positif ou négatif.

1. Boire (vous) _____ un verre.

2. Etre (nous) _____ amis.

3. Réfléchir (vous) _____ avant de parler.

4. Appeler (tu-négatif) _____ la police.

5. Jeter (vous-négatif) _____ les papiers par terre.

6. Sortir (nous) _____ ce soir.

7. Mettre (tu) _____ ton chapeau.

8. Rire (vous-négatif) _____ quand je parle.

9. Savoir (vous) _____ que je suis honnête.

10. Prendre (tu) _____ le train.

III. **Un hold up.** Vous êtes dans une banque. Un gangster arrive pour voler le banque. Que faites-vous?

MODÈLE: s'évanouir (*to faint*) *Je m'évanouis.*

1. tomber par terre _____

2. faire le mort (la morte) _____

3. courir dehors _____

4. appeler la police _____

5. attaquer le gangster avec votre parapluie _____

6. crier _____

7. pleurer _____

8. aller à la fenêtre _____

9. grimper sur une table _____

10. s'approcher du gangster _____

11. lui parler _____

IV. Chaque personne a sa spécialité. Dites au présent ce que font les personnes suivantes.

MODÈLE: Le professeur? (enseigner / expliquer les leçons / corriger les devoirs)
Le professeur **enseigne, explique** *les leçons,* **corrige** *les devoirs.*

1. La caissière? (compter / additionner / taper sur sa machine) _____

_____

_____

2. Le père de Laurent? (faire les commissions / laver la vaisselle / aller au supermarché / payer le jean) _____

_____

_____

3. Les gangsters? (avoir des mitraillettes / voler les banques / finir par aller en prison / s'ennuyer) _____

_____

_____

4. Les gendarmes? (poursuivre les voleurs / protéger les gens / ne pas rire souvent) _____

_____

_____

5. Le chauffeur de l'autobus? (respecter le code de la route / conduire lentement / faire attention aux bicyclettes) _____

_____

_____

6. Nous, les étudiants (arriver en classe à l'heure / être préparés pour le cours / prendre des notes / écrire des rédactions) _____

_____

_____

V. Les commissions.   Votre mère vous envoie faire les commissions. Qu'est-ce qu'elle vous dit?

MODÈLE: Elle vous dit de (prendre du beurre).
Prends du beurre!

1. rapporter des spaghettis _____
2. choisir de la viande sous cellophane. _____
3. ne pas oublier le sucre _____
4. acheter des yaourts _____
5. emporter un filet _____
6. se dépêcher _____
7. ne pas traîner dans les allées _____
8. ne pas courir _____
9. vérifier les prix _____
10. ne pas lire les journaux de mode _____
11. rendre les bouteilles vides _____

VI. Vocabulaire.   Quel mot n'appartient pas à la série? Pourquoi?

1. gâteaux secs glace bonbon viande. _____

_____

2. ananas banane orange céléri _____

_____

3. fromage yaourt beurre patates _____

_____

4. allée   rayon   chariot métallique   ascenseur _____

5. gendarme   mitraillette   gangster   caissière _____

_____

VII.   Traduction.

1. We take a cart; I climb on it. _____

_____

2. Hurry! Go get the yoghurts! _____

_____

3. It's not too tight? _____

_____

4. What is happening to you? _____

_____

5. She is in the process of trying on jeans. _____

_____

6. Crime does not pay. _____

_____

VIII. Regardez le dessin suivant. Décrivez les actions, les pensées des personnes représentées. Imaginez leur conversation. Vous pouvez utiliser le vocabulaire suggéré.

faire les commissions • le rayon • chercher • pousser (*to push*) • grimper • le chariot métallique • être en train de • le filet • les bonbons • la poche • oublier • l'ananas • attraper • le gâteau sec • le porte-monnaie (*wallet*) • remplir (*to fill*) • trop plein (*too full*)

_____

_____

_____

_____

_____

_____

_____

_____

_____

_____

_____

_____

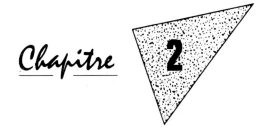

Chapitre **2**

Le passé composé

Première partie: exercices oraux

Faites ces exercices au laboratoire, sans cahier. Ecoutez le speaker, répondez aux questions, faites les transformations.

Deuxième partie: exercices oraux / écrits

Faites le travail de cette partie au laboratoire, avec votre cahier.

I. Prononciation.

1. Le son /i/ est plus serré (*tighter*) en français qu'en anglais.

a mis	la pluie
parti	le fruit
s'est assis	

2. Le son /e/ est très proche du son /i/. Ce son est écrit en finale: **-é, -ée, -és, -ées, -ed, -er, -ez.**

café	regardez
tourné	pleuré
parler	cendrier
fumée	marché

3. Le son /ɛ/ s'écrit **ai, ei, è,** ou **e** avec une consonne prononcée.

lait	chaise
cuiller	lettre
cigarette	rivière
tête	ouverte
chaînes	se jette

4. Contrastez:

/i/	/e/	/ɛ/
fit	fée	faire
dit	dé	d'elle
pie	pé	peine
mi	mes	mère
ti	tes	terre
ni	né	naître
ri	ré	reine

5. Contrastez:

il a pleuré	il a plu
des chiens	des chaînes
la route	la rue
des ronds	des rangs
sous la table	sur la table
il se jette	il s'est jeté

II. Dictée de sons.

Le speaker prononce un mot. Vous choisissez et vous encerclez (*circle*) le mot que vous entendez. Le speaker vous donne la réponse.

	(1)	(2)	(3)
1.	vu	vous	va
2.	pleut	plus	pluie
3.	chien	chienne	chaîne
4.	se laver	s'est levé	s'est lavé
5.	elle a eu	elle a un	et là-haut

III. Poème.

Le speaker lit le poème. Ecoutez le poème, lu en entier, puis répétez après chaque pause.

Tristesse

J'ai perdu ma force et ma vie,
Et mes amis et ma gaieté;
J'ai perdu jusqu'à la fierté
Qui faisait croire à mon génie.

Quand j'ai connu la Vérité,
J'ai cru que c'était une amie;
Quand je l'ai comprise et sentie,
J'en étais déjà dégoûté.

Et pourtant elle est éternelle,
Et ceux qui se sont passés d'elle
Ici-bas ont tout ignoré.

Dieu parle, il faut qu'on lui réponde.
Le seul bien qui me reste au monde
Est d'avoir quelquefois pleuré.

Alfred de Musset

la force strength **la vie** life **jusqu'à** everything including **la fierté** pride
faire croire to make others believe **la Vérité** Truth **en** by it **dégoûté** disgusted
pourtant yet **se passer de** to do without **Ici-bas** On this earth **quelquefois** sometimes.

IV. Compréhension. Petit déjeuner au café. Ecoutez le récit-dialogue, qui sera lu deux fois. Ensuite, arrêtez la machine, et écrivez les réponses aux questions ci-dessous. Puis, écoutez les réponses correctes.

1. Qu'est-ce que Louise a pris? _____

2. Est-ce que Jean-Paul a mangé quelque chose? _____

3. Qui a bu du thé? _____

4. Qu'est-ce que Robert a choisi? _____

5. Est-ce que Robert a bu un café au lait? _____

Troisième partie: exercices écrits

I. Choix de l'auxiliaire. Mettez les phrases suivantes au passé composé.

1. Il boit tout le café. _____

2. Elle reste à la maison. _____

3. Ils veulent aller au marché aux oiseaux. _____

4. Tu vois les robes qu'elle achète? _____

5. Les invités se jettent sur la bouteille de champagne. _____

6. Ils ont un accident. _____

7. Vous promettez de venir la semaine prochaine? _____

8. Elle rougit quand vous lui parlez. _____

9. Le vieil homme allume sa pipe. _____

10. J'ouvre la porte. _____

II. **L'accord du participe passé.** Mettez les phrases suivantes au passé composé.

1. Marianne passe trois fois devant la pâtisserie. _____

_____

2. Les enfants ne rentrent pas. _____

_____

3. Elle sort avec Mathieu. _____

_____

4. Roméo et Juliette ne se marient pas. _____

_____

5. Est-ce qu'elles retournent en Chine? _____

_____

6. Nous descendons dans les Catacombes. _____

_____

7. La leçon? Je la comprends. _____

_____

8. Quelles fenêtres ouvrez-vous? _____

_____

III. **Qu'ont fait ces personnes célèbres?** Trouvez dans la colonne de droite les actions que les personnes célèbres de la colonne de gauche ont faites. Faites des phrases complètes.

1. Napoléon	a.	tourner les premiers films.
2. Marie-Antoinette	b.	inventer le vaccin contre la rage.
3. Pasteur	c.	offrir la Statue de la Liberté au peuple américain
4. Marie Curie	d.	découvrir l'Amérique.
5. Les frères Lumière	e.	mourir sur la guillotine.
6. Les Français	f.	avoir beaucoup de popularité parmi ses troupes.
7. Le général Patton	g.	être la première femme à recevoir le prix Nobel.
8. Christophe Colomb	h.	gagner beaucoup de batailles.

1. _____

2. _____

3. _____

4. _____

5. _____

6. _____

7. _____

8. _____

IV. Des personnes organisées. Ecrivez les paragraphes suivants au passé composé pour raconter les préparatifs que ces personnes ont faits.

1. *Avant un voyage.*

Sabine regarde des cartes, choisit un pays, va à une agence, fait des réservations, loue une chambre dans un hôtel, prépare sa valise, dit au revoir à ses amis, part enfin.

_____

_____

_____

2. *Avant un examen.*

Je révise soigneusement mes notes, j'étudie mes verbes français, je me couche tôt, je ne sors pas la veille, je me réveille de bonne heure, j'ai une attitude positive.

_____

_____

_____

3. *Un accident.*

Vous voyez un accident. Vous vous arrêtez. Vous offrez votre aide. Vous téléphonez à la police. Vous demandez le numéro de l'assurance de la victime. Vous attendez l'arrivée de la police. Vous donnez votre nom comme témoin (*witness*).

_____

_____

_____

4. *Retour de vacances.*

Nous rentrons de vacances. Nous téléphonons à nos amis. Nous retrouvons la maison. Nous caressons le chat. Nous arrosons (*water*) les plantes. Nous regardons nos photos. Nous nous rappelons les bons moments de nos vacances.

_____

_____

_____

V. Rien à manger. Ecrivez l'histoire suivante au passé composé.

Claire se prépare. Elle met son manteau et son chapeau. Elle va au marché aux poissons et elle achète du poisson. Puis elle passe à la crémerie et elle achète une bouteille de lait. Elle revient à la maison; dans l'entrée elle trouve une lettre et des fleurs que son ami lui envoie. Elle pose le poisson et la bouteille de lait sur la table de la cuisine. Elle retourne dans l'entrée. Elle s'assied sur une chaise et elle lit la lettre, elle admire et respire les fleurs. Tout à coup elle entend le chat à la cuisine. Elle se lève précipitamment et court à la cuisine: elle voit le chat en train de manger le poisson; elle veut l'arrêter, mais elle renverse la bouteille de lait qui se casse sur le plancher.

Claire n'a rien à manger pour midi. Elle relit la lettre de son ami et elle met les fleurs dans un vase. Le chat ronronne (*purrs*) et se lèche (*licks himself*).

_____

_____

_____

_____

_____

_____

_____

_____

_____

_____

_____

_____

_____

_____

_____

_____

VI. **Combien de temps?**   Faites des questions avec **Combien de temps** . . . et des réponses à vos questions sur le modèle suivant (avec le passé composé).

> MODÈLE: Robert et Patrick **ont joué** au tennis de 8h30 à 10h.
> *Combien de temps est-ce qu'ils ont joué?*
> *Ils ont joué **pendant** une heure et demie.*

1. Françoise et Marie-Claire *se sont promenées* à bicyclette de 2h à 5h.

    _____

    _____

2. Nous avons commencé à *regarder* le film à 8h. Nous avons éteint la télé à minuit.

    _____

    _____

3. Tu as commencé à *nager* à midi moins vingt. Tu es sorti de la piscine à midi dix.

    _____

    _____

4. Ils sont partis en voyage au début de février. Ils rentrent à la fin de mai. (**voyager**)

    _____

    _____

5. La guerre a commencé en 1939 et s'est terminée en 1945. (**durer**)

    _____

    _____

14

VII. Vocabulaire. Dans les phrases suivantes, mettez le mot qui convient dans l'espace vide. Choisissez un mot de cette liste.

le message	se jeter	le marché aux poissons
un imperméable	mordre	écrire
renverser	le marché aux fleurs	la chaîne
caressés	ouvrir	le chapeau
embrassés	la parole	pleurer
la cuillère	un esclave	lire

1. Je suis allé _____ et j'ai acheté des soles, du saumon, etc.

2. L'homme est sorti, sans un mot, sans une _____ .

3. Tiens, il pleut: je vais prendre mon _____ .

4. Ce pauvre chien est attaché par une lourde _____ .

5. Dans le poème *Le Message*, l'homme a _____ la porte, est entré; il a _____ dans un fruit. Il a _____ la lettre.

6. Regarde ce que tu as fait: ta robe blanche est toute brune devant: oui, j'ai _____ mon café.

7. Pour se suicider, cette femme _____ du haut de la Tour Eiffel.

8. Il y a des chats qui n'aiment pas qu'on les touche; d'autres veulent toujours être _____ .

9. J'ai une machine pour recevoir des _____ téléphoniques.

10. Il a tourné le café au lait avec _____ .

VIII. Traduction.

1. He left without talking to me. _____

2. She spilled her coffee. _____

3. They just arrived. _____

4. I looked for you but I did not find you. _____

5. How long did you travel? _____

IX. Au marché en plein air.   Regardez le dessin suivant. Décrivez les actions, les pensées des personnes représentées. Imaginez leur conversation. Vous pouvez utiliser le vocabulaire suggéré.

la corbeille (*basket*) • des chaussures • l'étiquette • la poche • la plante verte • aller à • neuf • arranger • moins cher • avoir l'air • se décider • essayer • l'oiseau • la cage • les graines (*seed*) • découragé (*discouraged*)

_____

_____

_____

_____

_____

_____

_____

_____

_____

_____

_____

_____

_____

_____

Chapitre **3**

L'imparfait

Première partie: exercices oraux

Faites ces exercices au laboratoire, sans cahier. Ecoutez le speaker, répondez aux questions, faites les transformations.

Deuxième partie: exercices oraux / écrits

Faites le travail de cette partie au laboratoire, avec votre cahier.

I. Prononciation.

1. Les nasales. Le son /ã/ est représenté par les orthographes suivantes.

   a. **en:** je commençais

je descendais	ils pensaient
mes parents	le moment
on m'entendait	déclenchait
argent	heureusement

   b. **em:** empire

remplies	j'emmène
temps	embêtant
remplacement	j'emporte

   Attention: prononcez **en** /ɛ̃/ dans

bien	tiens
rien	examen
viens	chien

   c. **an:** cantine

la France	maman
pourtant	blanc
venant	tant
maintenant	

d. **-aon:** L'orthographe **-aon** pour /ɑ̃/ est rare et n'existe que dans quelques mots.

> paon (*peacock*)   faon (*fawn*)   taon (*horsefly*)

2. Contrastez:

/ɑ̃/	/a/
j'emmène	j'amène
Jean	Jeanne

3. Contrastez:

/ɑ̃/	/ɛn/
prend	prennent
gens	gêne

4. Mots difficiles.

un cas particulier	rigueur
bulletin scolaire	leçons particulières
impécunieuse	emprunt
une veilleuse	je me débrouillais
bibliothèque	tout mon soûl
je faisais	elle faisait

II. Dictée de sons.   Le speaker prononce un mot. Vous choisissez et vous encerclez (*circle*) le mot que vous entendez. Le speaker vous donne la réponse.

	(1)	(2)	(3)
1.	j'emmène	j'amène	Jean mène
2.	pont	paon	pain
3.	gens	gêne	Jeanne
4.	blanc	blond	bleu
5.	teint	tant	ton

III. Dictée.   Le speaker lit la dictée deux fois. La première fois, vous écoutez. Le deuxième fois, écrivez!

_____

_____

_____

_____

_____

_____

_____

_____

_____

_____

_____

_____

IV. Compréhension. **Tremblement de terre** (*earthquake*). Avant de commencer, lisez le vocabulaire qui précède l'exercice. Ecoutez le texte, qui sera lu deux fois. Ensuite, arrêtez la machine, et écrivez les réponses aux questions ci-dessous. Puis, écoutez les réponses correctes.

une autoroute	freeway	**s'enfuir**	to run away
s'effondrer	to collapse	**la faille**	fault
les collines	hills	**déblayer**	to clear

1. Quel jour a eu lieu le tremblement de terre? _____

   _____

2. Pourquoi est-ce que l'autoroute s'est effondrée? _____

   _____

3. Pourquoi est-ce que beaucoup de maisons ont été détruites? _____

   _____

4. Pourquoi est-ce que les habitants des collines de Santa Cruz ont dû quitter leur maison? ____

   _____

5. Où se sont installées beaucoup de familles sans logement? _____

   _____

6. Où se trouvait beaucoup de monde, à l'heure du tremblement de terre? ___

   _____

7. Pourquoi? _____

   _____

8. Pourquoi est-ce que les animaux de compagnie se sont enfuis? _____

   _____

Troisième partie: exercices écrits

I. Formes de l'imparfait. Donnez l'imparfait des verbes suivants.

1. j'appelle _____
2. elle avance _____
3. vous faites _____
4. il pleut _____
5. ils sont _____
6. je reste _____
7. elle a _____
8. elle choisit _____
9. nous ne rions pas _____
10. tu dors _____
11. tu achètes _____
12. elle va _____

II. Une soirée en famille.* Mettez les verbes du texte suivant à l'imparfait.

Mon père se lève à quatre heures du matin, hiver comme été… On lui apporte un peu de café; il travaille ensuite dans son cabinet[1] jusqu'à midi. Ma mère et ma sœur déjeunent chacune dans leur chambre à huit heures du matin. Je n'ai aucune heure fixe, ni pour me lever, ni pour déjeuner; je suis censé[2] étudier jusqu'à midi: la plupart du temps, je ne fais rien. A onze heures et demie, on sonne le dîner[3] que l'on[4] sert à midi. La grand'salle est à la fois salle à manger et salon: on dîne et l'on soupe à l'une de ses extrémités, du côté de l'est; après le repas, on vient se placer à l'autre extrémité, du côté de l'ouest, devant une énorme cheminée.

*René de Chateaubriand (1768–1848) est un des grands écrivains «romantiques». Dans cet extrait des *Mémoires d'Outre-Tombe,* il raconte son enfance, qu'il a passée avec ses parents et sa sœur Lucille à Combourg, en Bretagne, dans un château-fort triste et sombre que l'on peut encore visiter.

[1]**le cabinet** *here,* study   [2]**censé** supposed   [3]**sonner le dîner** to ring the bell for dinner   [4]**l'on = on**

1. Mon père se lève _____

2. On lui apporte _____

3. Il travaille ensuite _____

4. Ma mère et ma sœur déjeunent _____

5. Je n'ai aucune heure fixe _____

6. je suis censé étudier _____

7. je ne fais rien _____

8. on sonne le dîner _____

9. que l'on sert _____

10. La grand'salle est _____

11. On dîne et l'on soupe _____

12. on vient se placer _____

III. Un miracle. L'année dernière, Martine était une adolescente à problèmes. Cette année, elle est devenue une jeune fille parfaite. Ecrivez, à l'imparfait et au présent, les changements qui se sont produits.

> MODÈLE: L'année dernière, elle (se lever toujours en retard), cette année elle (se lever à l'heure).
>
> *L'année dernière elle **se levait** toujours en retard, cette année elle **se lève** à l'heure.*

1. L'année dernière elle (prendre rarement un bain), cette année elle (prendre un bain tous les jours). _____

_____

2. L'année dernière elle (manquer souvent l'école), cette année elle (ne manquer jamais l'école).

_____

_____

3. L'année dernière elle (dormir pendant les cours), cette année elle (ne pas dormir). _____

_____

20

4. L'année dernière elle (tricher), cette année elle (ne pas tricher). _____
_____

5. L'année dernière elle (aller au café après les cours et boire un whisky), cette année elle (aller au café et boire un jus d'orange). _____
_____

6. L'année dernière elle (ne pas ranger sa chambre), cette année (sa chambre être toujours impeccable). _____
_____

7. L'année dernière elle (sortir le soir en cachette), cette année elle (rester à la maison et étudier ses leçons). _____
_____

8. L'année dernière elle (avoir vraiment des problèmes), cette année elle (être parfaite et faire la joie de ses parents). _____
_____

IV. **Victoires du féminisme.** Décrivez les injustices qui existaient dans beaucoup de pays à l'imparfait, et ce qui se passe maintenant au présent.

Avant les campagnes du féminisme, les femmes (faire) _____ tous les travaux ménagers: elles (laver) _____ la vaisselle, (nettoyer) _____ la maison, (ranger) _____ , (s'occuper) _____ des enfants; elles (n'avoir) _____ pas le droit de vote. Dans la plupart des entreprises, elles (recevoir) _____ un salaire inférieur. Maintenant, les hommes (participer) _____ aux travaux ménagers. Certains hommes (laver, nettoyer, ranger, s'occuper des enfants) _____ _____ _____ .
Les femmes (avoir) _____ le droit de vote; elles (recevoir) _____ plus souvent un salaire égal.

V. **Question de chance.** M. Fauché était très pauvre. La semaine dernière, il a gagné à la loterie. Comparez sa vie d'avant (*imparfait*) et ce qu'il a fait après ce coup de chance (*passé composé*).

Avant	Hier
1. M. Fauché (ne pas avoir) de voiture, il (aller à son travail) par le métro.	Il (s'acheter) une Rolls. Il (engager) un chauffeur.

_____
_____
_____

2. Il (porter) des vêtements qu'il (acheter) au marché aux puces.

   Il (aller) chez Yves Saint-Laurent et (commander) deux douzaines de costumes.

   _____

   _____

   _____

3. Il (manger) très peu, ne (boire) pas de vin.

   Il (faire) des commissions dans une épicerie de luxe et (remplir) trois chariots.

   _____

   _____

   _____

4. Il (vivre) dans une chambre pauvre, sous les toits.

   Il (louer) un appartement de dix pièces.

   _____

   _____

   _____

5. Il (ne pas sortir), (ne pas pouvoir) aller au cinéma.

   Il (prendre) des billets pour tous les spectacles.

   _____

   _____

   _____

6. Il (ne voyager) jamais.

   Il (réserver) une cabine sur un bateau pour faire le tour du monde.

   _____

   _____

   _____

7. Il (être) très seul, sans amis, sans famille.

   Il (recevoir) des lettres de cousins, d'amis dont il ignorait l'existence.

   _____

   _____

   _____

8. M. Fauché (ne pas avoir) beaucoup de joies dans sa vie.

   Est-ce qu'il (trouver) le bonheur?

   _____

   _____

   _____

VI. Vocabulaire. Dans les phrases suivantes, mettez le mot qui convient dans l'espace vide. Choisissez un mot de cette liste.

solide	gratuit	faire des remplacements
la pièce	le disque	l'éclairage
se coucher	la veilleuse	s'apercevoir
le bulletin scolaire	se débrouiller	le cours
particulier	la bibliothèque	faire partie de
s'inscrire	faire un emprunt	le parquet

1. En France, à l'université, on n'a pas besoin de payer. Les cours sont _____

   _____ .

2. Pour bien lire le soir, il faut avoir un bon _____ . Sinon, on a mal

   aux yeux.

3. Je vais _____ sur les listes électorales pour voter.

4. Mon frère _____ d'un orchestre d'amateurs; il joue du violon.

5. Pour les parents de Gisèle, l'avenir du frère était très important: ils ne _____

   _____ pas des succès de leur fille.

6. Le bébé a peur de dormir dans une chambre obscure; on lui met une _____

   _____ .

7. Les parents reçoivent _____ avec les notes de leurs

   enfants.

8. Mon cousin n'a pas encore de poste fixe: il _____ chez un

   avocat.

9. Pour payer leurs études, les étudiants doivent souvent _____ à la

   banque ou à l'université.

10. Je ne peux pas acheter tous les livres que je veux lire. Je les prends à _____

    _____ .

VII. Traduction.

1. I had to wash dishes. _____

2. Do you save money? _____

3. She was hiding to read. _____

4. It must have been cold. _____

5. She used to take a math class. _____

VIII. **Fait divers** (*news item*).   Reconstituez cette histoire. Ecrivez au mains dix phrases au passé composé ou à l'imparfait.

La vieille dame était aux mains de deux gangsters

Sauvée parce que sa voix tremblait au téléphone

LIMOGES
(Corresp. « F.-S. »)

UN coup de téléphone donné d'Avign~ ~~ les parents ~ pe~ ~i-~er ~

regagne l'immeuble, ils la suivent et, sous la menace d'un revolver, pénètre~ dans l'appartement et le~ tent sur un canapé. ~ exig~ ~ rgent et ~ de ~ ier : « ~ l~

seul • sonner à la porte • employés de la compagnie du gaz • sans méfiance (*suspicion*) • menacer (*to threaten*) • ligoter (*to tie up*) • fouiller (*to search*) • voler • exiger (*to demand*) • une amie • la voix • trembler • soupçonner (*to suspect*) • la police • arrêter (*to arrest*)

_____

_____

_____

_____

_____

_____

_____

_____

_____

_____

_____

_____

_____

_____

Chapitre **4**

Le plus-que-parfait

Première partie: exercices oraux

Faites ces exercices au laboratoire, sans cahier. Ecoutez le speaker, répondez aux questions, faites les transformations.

Deuxième partie: exercices oraux / écrits

Faites le travail de cette partie au laboratoire, avec votre cahier.

I.   Prononciation.

1.   Le son /œ/ s'écrit **eu** ou **œu**; il y a toujours une consonne prononcée après le son /œ/: **r, l, f,** etc.

œuf	sœur
bœuf	veuf
neuf	peur
seul	jeune

2.   Le son /ø/.   L'orthographe de ce son est aussi **eu** ou **œu**; le groupe est final, ou il y a une consonne écrite mais pas prononcée.

deux	vieux
peu	nœud (*knot*)
feu	œufs
bleu	bœufs

3.   Les terminaisons **-euse** /øz/, et **-eute** /øt/, **-eutre** /øtʀ/.

heureuse	neutre
menteuse	feutre
rêveuse	meute

4. Contrastez:

/œ/	/ø/
peur	peu
bœuf	bœufs
œuf	œufs
seule	ceux

5. L'orthographie **ui** se prononce /ɥi/.

lui	fuite
bruit	s'ennuie
pluies	suit

6. Le **p** initial se prononce toujours.

psychose	psychiatre
pneu	psychologue
pseudo	pneumonie

7. Mots difficiles.

la fourrière	atelier
commissariat	biberon
chemin de fer	maladie de peau
Meursault	vieillesse

II. Dictée de sons. Le speaker prononce un mot. Vous choisissez et vous encerclez (*circle*) le mot que vous entendez. Le speaker vous donne la réponse.

	(1)	(2)	(3)
1.	bœuf	bœufs	bouffe
2.	nœud	neuf	nu
3.	pleure	pelure	pluie
4.	pille	pays	pied
5.	des	du	deux

III. Poème. Le speaker lit le poème. Ecoutez le poème, lu en entier, puis répétez après chaque pause.

> Il pleure dans mon cœur
> Comme il pleut sur la ville,
> Quelle est cette langueur
> Qui pénètre mon cœur?
>
> O bruit doux de la pluie
> Par terre et sur les toits!
> Pour un cœur qui s'ennuie
> O le bruit de la pluie!
>
> de *Il pleure dans mon cœur*
> Paul Verlaine

IV. Compréhension. Opération «Justice». Avant de commencer, lisez le vocabulaire qui précède l'exercice. Ecoutez le paragraphe de l'humoriste français Raymond Devos. Il sera lu deux fois. Ensuite, arrêtez la machine, et écrivez les réponses aux questions ci-dessous. Puis, écoutez les réponses correctes.

la pâtée pet food
la côtelette cutlet
faire rentrer to let back in

mettre dehors to throw out
celui du chat the cat's milk

1. Qu'est-ce que le chat avait fait? _____

_____

2. Comment est-ce que Raymond a puni le chat? _____

_____

3. Qu'est-ce que le chien avait fait? _____

_____

4. Comment est-ce que Raymond a puni le chien? _____

_____

5. Pourquoi est-ce que Raymond a mis sa femme dehors? _____

_____

6. Qu'est-ce que Raymond découvre enfin? _____

_____

7. Après toutes ces actions sévères, comment est-ce que Raymond a montré qu'il était juste?

_____

Troisième partie: exercices écrits

I. Formes du plus-que parfait. Ecrivez les phrases suivantes au plus-que-parfait.

1. Il a été écrasé. _____

2. On lui répond. _____

3. Il s'est habitué. _____

4. Tu t'assieds. _____

5. Nous nous sommes mariés tard. _____

6. Tu as reconnu le chien? _____

7. Ces choses arrivent. _____

8. Il lit le journal. _____

9. Elle se sent seule. _____

10. Il faut chercher un autre chien. _____

II. L'histoire du Tchèque.   Mettez les verbes en italique du texte suivant au plus-que-parfait. (Le texte que vous obtenez est un extrait de *L'Etranger.**)

Un homme *part* d'un village tchèque pour faire fortune. Au bout de vingt-cinq ans, riche, il *revient* avec une femme et un enfant. Sa mère tenait un hôtel avec sa sœur dans son village natal.

_____

_____

_____

Pour les surprendre, il *laisse* sa femme et son enfant dans un autre établissement,³ *va* chez sa mère qui ne le *reconnaît pas* quand il *entre*. Par plaisanterie⁴ il *a* l'idée de prendre une chambre.

_____

_____

_____

Il *montre* son argent. Dans la nuit, sa mère et sa sœur *l'assassinent* à coups de marteau⁵ pour le voler et *jettent* son corps dans la rivière.

_____

_____

_____

Le matin, la femme *vient*, *révèle* sans le savoir l'identité du voyageur. La mère *se pend*.⁶ La sœur *se jette* dans un puits.⁷

_____

_____

_____

*Albert Camus, *L'Etranger*, edited by Germaine Brée / Carlos Lynes, Jr., © 1955, pp. 65–66, 99. Reprinted by permission of Prentice-Hall, Inc., Englewood Cliffs, N.J.

³**un établissement = un hôtel**   ⁴**par plaisanterie** as a joke   ⁵**un marteau** hammer   ⁶**se pendre** to hang oneself   ⁷**le puits** well

III. Passé composé et imparfait ensemble.   Dans les phrases suivantes, mettez un verbe au passé composé et l'autre à l'imparfait.

1. Il (acheter) _____ le dernier fromage qui (rester) _____ .

2. Quand nous (arriver) _____ , elle (dormir) _____ .

3. Il (parler) _____ d'un chien qui (venir) _____ d'être écrasé.

4. Ils (se marier) _____ : ils (être) _____ fiancés depuis dix ans.

5. Je (ne pas comprendre) _____ ce qui (arriver) _____
   _____ .

6. J'(entendre) _____ dire qu'il (vivre) _____ dans une maison de retraite.

7. Il (remercier) _____ le jeune homme parce qu'il (montrer) _____

_____ de la sympathie.

8. Nous t'(écouter) _____ parce que nous n'(avoir) _____

rien à faire.

IV. Passé composé et plus-que-parfait ensemble. Dans les phrases suivantes, mettez les verbes au passé composé et au plus-que-parfait.

MODÈLE: Il **perd** aux courses tout l'argent qu'il **a gagné.**

*Il **a perdu** aux courses tout l'argent qu'il **avait gagné.***

1. Elle me rend les livres que je lui ai prêtés. _____

_____

2. C'est étrange, ils reçoivent en janvier une lettre que nous avons écrite en novembre. _____

_____

3. Elle n'est pas contente parce que j'ai oublié notre rendez-vous. _____

_____

4. Tu manques ton train parce que tu pars trop tard. _____

_____

5. Il achète un chien parce qu'il a perdu sa femme. _____

_____

6. Au commissariat, on lui dit qu'on n'a pas trouvé son portefeuille. _____

_____

7. Il demande à l'employé ce qui est arrivé. _____

_____

V. Remède à tout. Faites des phrases sur le modèle suivant. Mettez le verbe de la phrase de la colonne A au passé composé, puis cherchez l'explication dans la colonne B. Le verbe de la colonne B est au plus-que-parfait.

MODÈLE: Elle (se faire mettre   perdre toutes ses dents
un dentier) [*denture*]

*Elle s'est fait mettre un dentier parce qu'elle **avait perdu** toutes ses dents.*

A	**B**
1. Je (se mettre au régime)	se casser la jambe
2. Le chirurgien m'(opérer)	trop grossir
3. On lui (faire des piqûres)	diagnostiquer une crise d'appendicite
4. On me (mettre un plâtre [*cast*])	son estomac ne pas supporter les pilules
5. Le docteur m'(ordonner) de prendre des vitamines	avoir plusieurs pneumonies l'année précédente
6. Elle (aller) dans un sanatorium	souffrir trop souvent d'anémies

1. _____

_____

2. _____

_____

3. _____

_____

4. _____

_____

5. _____

_____

6. _____

_____

VI. **Respectez la propriété des autres!** Dans l'histoire suivante, mettez le verbe entre parenthèses au temps qui convient: imparfait, passé composé ou plus-que-parfait.

M. Vincent (avoir) _____ une belle voiture neuve qu'il (prêter)

_____ quelquefois à sa fille Julia. Un jour Julia (avoir) _____

un petit accident et la peinture de la portière (*car door*) droite (être) _____

abîmée (*damaged*). Ce n'(être) _____ pas très visible, mais enfin, la voiture

n'(être) _____ plus neuve. Julia ne rien (dire) _____

et (rentrer) _____ la voiture au garage. Le lendemain, M. Vincent (voir)

_____ la portière abîmée. Bien sûr il (réagir) _____

violemment. Il (deviner) _____ ce qui (arriver) _____ .

Il (appeler) _____ Julia et lui (demander) _____ :

«Qu'est-ce qui (arriver) _____ à ma voiture?» —Rien, papa. —Tu (avoir)

_____ un accident? —Moi? Non, papa, je suis en excellente santé. —Toi, oui,

mais ma voiture? Je (remarquer) _____ que la peinture de la portière droite

(être) _____ abîmée. —Je ne sais pas ce qui (arriver) _____

papa. Sans doute quelqu'un t'(accrocher) (*run into*) _____ dans un

parking.» M. Vincent (aller) _____ alors dans la chambre de Julia, (mettre)

_____ les posters par terre, (renverser) _____ les livres,

(jeter) _____ les vêtements sur le tapis. Julia (entrer) _____ , (voir)

le désastre et (s'exclamer) _____ : «Papa, qu'est-ce que

tu fais?» M. Vincent (dire) _____ : «Moi? Rien. Il y (avoir) _____

un tremblement de terre (*earthquake*) sans doute. Je suis aussi innocent que toi pour ma voiture.»

Julia (comprendre) _____ la leçon, (s'excuser) _____ et

(promettre) _____ d'être plus honnête, à l'avenir.

VII. **Imparfait ou passé composé?** Mettez les verbes entre parenthèses au temps qui convient. (Attention! Il y a 3 plus-que-parfaits.)

*La Fontaine et la pomme empoisonnée**

La Fontaine (avoir) _____ l'habitude de manger tous les jours une pomme cuite.[1] Un jour, pour la laisser refroidir,[2] il en (mettre) _____ une sur la tablette[3] de la cheminée et, en attendant,[4] il (aller) _____ chercher un livre dans sa bibliothèque. Un de ses amis (entrer) _____ alors dans la chambre, (apercevoir) _____ le fruit et le (manger) _____ . En rentrant,[5] La Fontaine ne (voir) _____ plus la pomme et (deviner)[6] _____ ce qui (arriver) _____ . Alors, il (s'écrier) _____ : —Ah! Mon Dieu! Qui (manger) _____ la pomme que je (mettre) _____ ici? —Ce n'est pas moi, (répondre) _____ l'autre. —Heureusement, mon ami. —Pourquoi? —Parce que je (mettre) _____ du poison dedans pour empoisonner les rats. —Du poison? (s'exclamer) _____ l'autre, je suis perdu! —N'aie pas peur, lui (dire) _____ La Fontaine en riant,[7] c'est une plaisanterie que je (faire) _____ pour savoir qui (manger) _____ ma pomme.

. . . .

*Extrait de Robin et Bergeaud: *Le Français par la méthode directe, T. II,* reproduit avec la permission de la Librairie Hachette, éditeur.

[1]**un pomme cuite** baked apple   [2]**refroidir** to cool   [3]**la tablette** the mantel   [4]**en attendant** while waiting   [5]**En rentrant** Upon returning   [6]**deviner** to guess   [7]**en riant** while laughing

VIII. **Vocabulaire.** Dans les phrases suivantes, mettez le mot qui convient dans l'espace vide. Choisissez un mot de cette liste.

à la retraite	s'asseoir	les poils
le commissariat	les chemins de fer	se marier
la fourrure	la maladie	mauvais caractère
épouser	la vieillesse	l'ennui
faire du théâtre	les genoux	la pommade
le biberon	faire face	âgé

1. On m'a volé mon portefeuille. Je suis allé faire une déclaration au _____ _____ .

2. Le fils de mes amis est fasciné par les trains. Il veut faire une carrière dans _____ _____ .

3. Cette femme a travaillé toute sa vie; maintenant elle peut se reposer: elle est _____ _____ .

4. Son mari se met en colère facilement: il a _____ .

5. Cette jeune fille a de grands talents d'actrice. Elle va probablement _____

   _____ .

6. Ma grand-mère reste assise dans son fauteuil, son chat sur les _____

   _____ .

7. Mon chien a eu une maladie de peau. On l'a guéri avec une _____

   chinoise.

8. Souvent quand on a des animaux à la maison, on trouve des _____

   sur le tapis.

9. Il n'y a pas de remède pour soigner _____ .

10. Le jeune homme avait rencontré la jeune fille au bal et l' _____ un

    mois plus tard.

IX. Traduction.

1. I am hungry and thirsty. _____

2. He looked pleased. _____

3. I felt like acting. _____

4. I was not sleepy. _____

5. She is bored. _____

6. Are you annoyed? _____

7. The old man had just died. _____

X. Chez le vétérinaire. Regardez le dessin suivant. Décrivez les actions, les pensées des personnes et des animaux représentés. Imaginez la conversation. Vous pouvez utiliser le vocabulaire suggéré.

avoir l'air • avoir mauvais caractère • tomber malade • la fourrure • se cacher • devoir • le poil • avoir peur • ne pas manger • une maladie de peau • la pommade • sois sage (*good*) • gronder (*to scold*) • les puces (*fleas*) • une piqûre contre la rage • le perroquet (*parrot*) • s'apercevoir • se gratter (*to scratch*) • se coucher • les genoux • le panier (*basket*) • guérir • se sentir

_____

_____

_____

_____

_____

_____

_____

_____

_____

_____

_____

_____

Chapitre **5**

Le passé simple

Première partie: exercices oraux

Faites ces exercices au laboratoire, sans cahier. Ecoutez le speaker, répondez aux questions, faites les transformations.

Deuxième partie: exercices oraux / écrits

Faites le travail de cette partie au laboratoire, avec votre cahier.

I. Prononciation.

1. Le son /u/. Le son /u/ est écrit **ou.** Il est semblable au son anglais écrit **oo,** mais plus bref, et pas diphtongué.

    Comparez:

pool	poule
fool	foule
root	route
soup	soupe
troop	troupe

2. La lettre **g.**

    a. **g + i** ou **e** représente le son /ʒ/.

girafe	genre
général	Gigi

    b. **g + a, o** ou **u** représente le son /g/.

garde	gorge
garage	Gustave

    c. **g + e + a** ou **o** représente le son /ʒ/.

geai	voyageons
Georges	découragé

d. **g** + **u** + **i** ou **e** représente le son /g/.

guide   béguin
guerre   longueur

3. Les lettres **c** et **ç**.

a. **c** + **a, o, u,** représente le son /k/.

car	comparez
calme	courage
accablé	curieux
comment	culotte

b. **c** + **e** ou **i** représente le son /s/.

certain	cirque
céramique	merci

c. On met une cédille au **c**: **ç** devant les lettres **a, o, u,** pour obtenir le son /s/.

ça	leçon
commençait	reçu
garçon	aperçu

4. Mots difficiles.

baignoire	eûmes
thermostat	eurent
instinct	wagon
stérilisateur	Françoise Mallet-Joris

II. **Dicté de sons.** Le speaker prononce un mot. Vous choisissez et vous encerclez (*circle*) le mot que vous entendez. Le speaker vous donne la réponse.

	(1)	(2)	(3)
1.	heure	eurent	arts
2.	neuf œufs	neuf ans	neuf heures
3.	geai	gai	guerre
4.	des arts	désert	dessert
5.	baigne	bagne	bain

III. **Dictée.** Le speaker lit la dictée deux fois. La première fois, vous écoutez. La deuxième fois, écrivez!

_____

_____

_____

_____

_____

_____

_____
_____
_____
_____
_____
_____
_____
_____
_____
_____
_____
_____

IV. Compréhension. Preuves d'amour.* Avant de commencer, lisez le vocabulaire qui précède l'exercice. Ecoutez l'histoire, qui sera lue deux fois. Ensuite, arrêtez la machine, et écrivez les réponses aux questions ci-dessous. Puis, écoutez les réponses correctes.

| **la montre en or** gold watch | **peignes en écaille** tortoise-shell combs |
| **le fabricant de perruques** wig maker | **inutilisables** useless |

1. Quelle était la richesse de Céline? _____

_____

2. Quelle était la richesse de Roland? _____

_____

3. Est-ce qu'ils avaient de l'argent pour s'acheter des cadeaux de Noël? _____

_____

4. Qu'est-ce que Céline fit pour se procurer de l'argent? _____

_____

5. Qu'est-ce qu'elle acheta pour son mari? _____

_____

6. Qu'est-ce que Roland avait fait? _____

_____

7. Pourquoi est-ce qu'il avait vendu sa montre? _____

_____

8. Où est l'ironie dans cette histoire? _____

_____

*Cette histoire est adaptée de l'histoire de l'écrivain américain O'Henry, _The Gift of the Magi_.

Troisième partie: exercices écrits

I. **Formes du passé simple.** Mettez les verbes suivants au passé simple.

> MODÈLE: il a **chanté**
>
> il *chanta*

1. elle a été _____
2. elles disent _____
3. ils ont vu _____
4. ils mettent _____
5. il a couru _____

6. nous entrons _____
7. elle a pu _____
8. nous arrivons _____
9. elle vient _____
10. elle a eu _____

II. Imaginez une suite à la saga de Daniel avec les mots suivants au passé simple. Mettez les événements (*events*) dans l'ordre logique.

réussir à ses examens de sciences économiques
devenir le directeur général d'une grande compagnie
rencontrer une jeune fille belle et intelligente
avoir trois enfants
faire construire une maison, etc.

trouver un poste formidable
voyager aux Etats-Unis
se marier
lui et sa femme être heureux

_____

_____

_____

_____

_____

_____

_____

_____

_____

_____

_____

III. **Trouvez l'inventeur!** Faites des questions au passé simple avec les groupes de la colonne de gauche. Trouvez la réponse dans la colonne de droite et faites une phrase complète au passé simple. Commencez ainsi: «Qui . . .»

> MODÈLE: Qui . . . ?
>
> trouver le vaccin contre la rage   Pasteur
>
> *Qui **trouva** le vaccin contre la rage?*   Pasteur.

1. inventer l'imprimerie	a. M. Benz
2. concevoir le principe de la machine à coudre	b. les Chinois
3. avoir l'idée de la machine à écrire	c. Gutenberg
4. fabriquer la première voiture à essence	d. Edison
5. utiliser le premier téléphone	e. Singer
6. être le premier fabricant de papier	f. Remington

1. _____

_____

2. _____

_____

3. _____

_____

4. _____

_____

5. _____

_____

6. _____

_____

IV. Mettez les verbes suivants au passé composé.

MODÈLE: il **fut**

il *a été*

1. il revint _____
2. elles passèrent _____
3. elle sortit _____
4. il emmena _____
5. nous décidâmes _____
6. ils mirent _____
7. il plongea _____
8. elle courut _____
9. elles entendirent _____
10. ils devinrent _____

V. **Le passé simple, le passé composé et l'imparfait.** Mettez les verbes de l'histoire ci-dessous au temps qui convient: le passé simple pour le récit, le passé composé pour la conversation et l'imparfait pour les actions habituelles.

*Le Poulet du Cardinal Dubois**

Le Cardinal Dubois (manger) _____ habituellement une aile de poulet

(*chicken wing*) tous les soirs. Un jour, à l'heure du dîner, un chien (emporter) _____

*d'après Duclos

le poulet. Ses domestiques (être) _____ très inquiets (*worried*), car le Cardinal (se mettre) _____ facilement en colère (*get mad*). Ils (mettre) _____ _____ immédiatement un autre poulet à la broche. Le Cardinal (demander) _____ à l'instant son poulet; son maître d'hôtel lui (dire) _____ : «Monseigneur, vous (souper) (*to have supper*) _____ . —Je (souper) _____ ? dit le Cardinal. —Mais oui, Monseigneur. Il est vrai que vous (paraître) (*look*) _____ très occupé (*preoccupied*); vous _____ sans doute (oublier) (*forget*) _____ . Mais si vous (vouloir [présent]) _____ , on vous (servir [futur]) _____ un autre poulet.» A ce moment le médecin du Cardinal, qui lui (rendre) _____ visite tous les jours, (arriver) _____ . Vite, les domestiques le (prévenir) (*warn*) _____ et le (prier) (*beg*) _____ de les aider (*help*). «Parbleu (*to be sure*), (dire) _____ le Cardinal, voici quelque chose d'étrange; mes domestiques me (dire) _____ que je (souper) _____ . Je ne m'en (souvenir [présent]) (*remember*) _____ pas et de plus, je (se sentir [présent]) (*feel*) _____ plein d'appétit.» Le médecin l'(assurer) _____ que sans doute il (être) _____ fatigué (*tired*), mais qu'il (pouvoir) _____ manger de nouveau sans danger et que son appétit (être) _____ signe d'une bonne santé. On (apporter) _____ le poulet, le Cardinal le (dévorer) _____ et (être) _____ d'excellente humeur.

VI. **Vocabulaire.** Dans les phrases suivantes, mettez le mot qui convient dans l'espace vide. Choisissez un mot de cette liste.

en liberté	ressembler à	collectionner
une douche	allonger	tout habillé
à moitié	une baignoire	dépasser
le baccalauréat	perfectionné	le succès
le vestiaire	la poussière	éducatif
ramasser	un club	hurler

1. L'examen qu'on passe à la fin des études au lycée s'appelle _____ .

2. Quand on va au théâtre ou au bal, on peut laisser son manteau au _____ _____ .

3. Dans une salle de bain, il y a toujours _____ .

4. Avec tes cheveux longs, tes bijoux, ton jean, tu _____ un hippie!

5. J'ai cinquante variétés de papillons (*butterflies*). —Ah! Vous _____ les papillons?

6. La mode est capricieuse: quelquefois les robes sont courtes, quelquefois elles _____ _____ .

7. Daniel n'a pas été complètement asphyxié par la poussière; il a été _____ _____ asphyxié seulement.

8. En Mauritanie, il y a beaucoup d'animaux sauvages _____ .

9. François a plongé son bébé _____ dans la baignoire!

10. Cette façon d'élever un enfant n'est pas très _____ .

VII. Traduction.

1. Help yourself! _____

2. I don't know how to use it. _____ _____

3. What is that for? _____

4. When we travel, we hitchhike. _____ _____

5. This baby eats by himself. _____ _____

6. I like to read lying on my stomach. _____ _____

7. Daniel knows how to sing. _____

8. They know Africa and India. _____ _____

VIII. Vocabulaire. Quel mot n'appartient pas à la série? Encerclez le mot et dites pourquoi.

1. prendre une douche   se laver les pieds   se raser   prendre un bain de soleil _____

2. un omnibus   une locomotive   un wagon   un vestiaire _____

3. un magnétophone   un électrophone   un walkman   un magnétoscope _____

4. un piano   une guitare   un saxophone   un violon _____

5. faire des sciences économiques   faire du droit   faire de l'autostop   faire sa médecine

IX.   La boum.   Regardez le dessin suivant. Décrivez les actions, les pensées des personnes représentées. Imaginez leur conversation. Vous pouvez utiliser le vocabulaire suggéré.

un pantalon serré • la jupe courte ou longue • les jeans • le gilet en cuir (*leather vest*) • le vestiaire • sandales • les cheveux longs, courts, frisés, raides, teints, rasés • sans chaussures • couvert de bijoux • nourir • le biberon (*baby's bottle*) • hurler • couché à plat ventre

_____

_____

_____

_____

_____

_____

_____

_____

_____

_____

_____

_____

Le nom et l'adjectif

Première partie: exercices oraux

Faites ces exercices au laboratoire, sans cahier. Ecoutez le speaker, répondez aux questions, faites les transformations.

Deuxième partie: exercices oraux / écrits

Faites le travail de cette partie au laboratoire, avec votre cahier.

I. Prononciation.

1. La finale **-tion** se prononce /sjɔ̃/.

diction	perception
notion	émotion
location	relation
nation	alimentation

   Exception: **question** se prononce /kɛstjɔ̃/.

2. La finale **-sion** se prononce /zjɔ̃/ quand il y a un **i** avant.

décision	élision
révision	précision
provision	

   Attention: On prononce /sjɔ̃/ dans les autres cas.

passion	tension	inversion

3. La finale **-isme** se prononce /ism/. /izəm/ est incorrect.

communisme	christianisme
despotisme	catholicisme
populisme	socialisme

4. Le son /o/. Ce son est proche de /u/. Les lèvres sont projetées. Ces orthographes se prononcent **o** fermé (*closed o*): **oş, -oş, eau, au, ose.**

sylo	beau
nos	rose
vos	château
pot	faux
philo-	pose
lot	gâteau
disco	chose
sot	

5. Le son /ɔ/. Ce son est proche du son /ɔ/ en anglais dans le mot *ought*. L'orthographe de ce son est **o** + une consonne prononcée, et **au** dans quelques mots.

porte	robe
morte	folle
forte	Laure
comme	Paul

6. Contrastez:

/o/	/ɔ/
saute	sotte
chaude	ode
le vôtre	votre
rauque	roc
haute	hotte
paume	pomme
Pauline	Paul

7. Contrastez:

/o/	/u/
beau	bout
faux	fou
saut	saoul
Paule	poule

8. Mots difficiles.

Gabrielle Roy	calotte	culotte
Montréal	atteignit	
le docteur Nault	Renault	
Rue Deschambault	broyer	
un haut comptoir	Samuel	

II. **Dictée de sons.** Le speaker prononce un mot. Vous choisissez et vous encerclez (*circle*) le mot que vous entendez. Le speaker vous donne la réponse.

	(1)	(2)	(3)
1.	feu	faux	fou
2.	sot	saute	sotte
3.	calotte	culotte	quelle hotte
4.	votre	vôtre	voute
5.	sale	seule	celle

III. **Poème.** Le speaker lit le poème. Ecoutez le poème, lu en entier, puis répétez après chaque pause.

Les Hiboux

Ce sont les mères des hiboux
Qui désiraient chercher les poux
De leurs enfants, leurs petits choux,
En les tenant sur leurs genoux.
Leurs yeux d'or valent des bijoux.
Leur bec est dur comme cailloux.
Ils sont doux comme des joujoux.
Mais aux hiboux point de genoux!
Votre histoire se passait où?
Chez les Zoulous? Les Andalous?
Ou dans la cabane bambou?
A Moscou, à Tombouctou?
En Anjou ou dans le Poitou?
Au Pérou ou chez les Mandchous?
Hou, Hou,
Pas du tout. C'était chez les fous.

Robert Desnos*

les hiboux owls   **les petits choux** little darlings   **les poux** lice   **les genoux** knees (*lap*)
les bijoux jewels   **les cailloux** stones   **les joujoux** toys   **les fous** mad people

*Extrait de Robert Desnos: *Chantefables et chantefleurs*, reproduit avec la permission de la Librairie Gründ.

IV. **Compréhension. Histoire de fous.** Ecoutez les définitions que vous donne le speaker. La réponse est un mot du vocabulaire du poème de Robert Desnos. Ecrivez ce mot ci-dessous. Le speaker vous donne la réponse correcte.

1. _____   5. _____
2. _____   6. _____
3. _____   7. _____
4. _____   8. _____

Troisième partie: exercices écrits

I. **Masculin et féminin.** Mettez les groupes suivants au masculin.

MODÈLE: une **vieille** actrice
un **vieil** acteur

1. une directrice jalouse _____
2. une poule blanche _____
3. une chanteuse canadienne _____
4. une mauvaise épouse _____
5. une belle dame _____

6. une princesse distinguée _____

7. une amie favorite _____

8. une pianiste célèbre _____

9. une vache rousse _____

10. une nièce étrangère _____

II. Pluriel des noms et des adjectifs.   Mettez les groupes suivants au pluriel.

MODÈLE: un château **ancien**

*des châteaux **anciens***

1. l'œil brun _____

2. un rail bleu _____

3. un cheval fou _____

4. le nez droit _____

5. l'eau sale _____

6. la voix basse _____

7. un monsieur sérieux _____

8. le ciel gris _____

9. un caillou blanc _____

10. la première année _____

III. Ecrivez les phrases suivantes.   Employez les adjectifs entre parenthèses au genre et à la place qui conviennent.

1. Vous avez une bicyclette. (beau / neuf) _____

_____

2. J'adore mon anorak. (nouveau / bleu) _____

_____

3. Regardez la page. (premier / blanc) _____

_____

4. Ils forment un ménage. (jeune / harmonieux) _____

_____

5. Il y a une boulangerie. (bon / français) _____

_____

6. Prends le dictionnaire. (gros / vert) _____

_____

7. Ils ont fait une promenade. (long / reposant) _____

_____

8. Tu mets tes chaussures. (vieux / noir) _____

_____

9. Apporte des galettes. (petit / sec) _____

_____

10. Elle adore la musique. (grand / italien) _____

_____

IV. Genres et nombres. Quel mot n'appartient pas à la série? Dites pourquoi.

1. château   bateau   peau   oiseau _____

_____

2. allée   musée   arrivée   entrée _____

_____

3. travail   corail   chandail   vitrail _____

_____

4. cheveu   pneu   jeu   neveu _____

_____

5. général   spécial   final   provincial _____

_____

6. grand   joli   petit   bleu _____

_____

V. Vocabulaire. Dans les phrases suivantes, mettez le mot qui convient dans l'espace vide. Choisissez un mot de cette liste.

le mur	les directions	séché
l'ordonnance	effrayé	les herbes
la commande	frais	joyeux
le train	le cabinet de consultation	se peser
le tramway	les renseignements	la pastille
le bocal	intrigué	la pillule

1. A la pharmacie, il y a des rayons remplis de _____ .

2. Chez le médecin, les malades attendent avant d'entrer dans le _____

_____ .

3. Quand est-ce que le train part pour Winnipeg? —Allez demander au bureau de _____

_____ .

4. A San Francisco, c'est amusant de se promener en autobus. —Moi, je préfère _____

_____ .

5. Le pharmacien va exécuter mon _____ .

6. J'ai acheté un vieux livre. Il y avait une fleur _____ dedans.

7. La petite fille est _____ par le comportement du médecin-

pharmacien.

8. Plusieurs personnes ont indiqué aux deux femmes des _____

contraires pour aller de la gare à l'hôtel.

9. Ma sœur a peur de grossir. Elle _____ tous les jours.

10. Quand on a mal à la gorge (*throat*), on va à la pharmacie pour acheter des _____

_____ .

VI. Traduction.

1. A former teacher. _____

2. An ancient clock. _____

3. Am I supposed to know you? _____
   _____

4. We took a tour in the tower. _____
   _____

5. He has a job in the post office. _____
   _____

VII. A la pharmacie. Regardez le dessin suivant. Décrivez les actcions, les pensées des personnes représentées. Imaginez leur conversation. Vous pouvez utiliser le vocabulaire suggéré.

le comptoir • le bout de papier • un bocal • séché • les lunettes • une ordonnance • exécuter une ordonnance • un rayon • à droite • à gauche • une cliente • faire signe • se soigner • mal à la tête • mal au dos • le parfum • le rouge (*lipstick*) • le mascara • s'appliquer • se laver les cheveux • prendre un bain chaud • la cloison • l'aspirine • la crème de beauté • être en bonne (mauvaise) santé • la grippe

_____
_____
_____
_____
_____
_____
_____
_____
_____
_____
_____
_____

Chapitre **7**

L'article

Première partie: exercices oraux

Faites ces exercices au laboratoire, sans cahier. Ecoutez le speaker, répondez aux questions, faites les transformations.

Deuxième partie: exercices oraux / écrits

Faites le travail de cette partie au laboratoire, avec votre cahier.

I. Prononciation.

1. L'article défini: **le, la, les.**   Articulez distinctement:

le /lə/	la /la/	les /le/
le paquet	la table	les frères
le résultat	la terrine	les garçons
le champagne	la cuisine	les maisons
le fromage	la tarte	les poulets

2. L'article indéfini: **un, une.**   **Un** se prononce comme /ø/ nasalisé. La prononciation de **un** dans la conversation rapide est très proche de la prononciation de **in** /ɛ̃/.

   Contrastez **un** /œ̃/ devant une consonne et /œn/ devant une voyelle.

un /œ̃/	un /œn/
un coup	un‿ananas
un poisson	un‿appétit
un poireau	un‿oignon
un docteur	un‿enfant
un bras	un‿œil

3. Contrastez:

un /œ̃/	une /yn/
un verre	une salade
un vin	une terrine
un fromage	une carafe
un glaçon	une chaussette

4. Contrastez:

du /dy/	des /de/
du pain	des pâtes
du vin	des pommes de terre
du lait	des tartes
du courage	des problèmes

5. La liaison. Le -s de **les** et de **des** est prononcé avec la première voyelle du mot qui suit.

les‿amis	les‿épicières
des‿intérieurs	des‿écoles

On ne fait pas la liaison avec un **h** aspiré. Comparez:

un‿homme	un / héros
des‿huiles	des / haricots
des‿habitudes	les / Halles

6. **-ss** /s/ et **-s** /z/. On dit /s/ quand il y a un double **s** entre deux voyelles. On dit /z/ quand il y a un **s** entre deux voyelles. Contrastez:

coussin	cousin
poisson	poison
dessert	désert
chausse	chose

Contrastez:

/s/	/z/
ils sont	ils‿ont
nous savons	nous‿avons
hélas	gaz
fils	transatlantique
un‿os	Berlioz

7. Mots difficiles.

un ananas	un tire-bouchon
un bac à glaçons	un ouvre-boîte
un décapsuleur	les victuailles
effectivement	incroyablement

II. **Dictée de sons.** Le speaker prononce un mot. Vous choisissez et vous encerclez (*circle*) le mot que vous entendez. Le speaker vous donne la réponse.

	(1)	(2)	(3)
1.	nous savons	nous avons	nos avions
2.	désert	dessert	des serres
3.	peine	pain	panne
4.	(je) sens	séance	(le) sens
5.	j'ose	chausse	chose

III. **Dictée.** Le speaker lit la dictée deux fois. La première fois, vous écoutez. La deuxième fois, écrivez!

_____

_____

_____

_____

_____

_____

_____

_____

_____

_____

_____

_____

_____

_____

_____

_____

IV. **Compréhension. Projets de vacances.** Ecoutez le dialogue qui sera lu deux fois. Ensuite, arrêtez la machine, et écrivez les réponses aux questions ci-dessous. Puis, écoutez les réponses correctes.

1. De quoi parlent ces deux personnes? _____

   _____

2. Quelles vacances est-ce que la dame propose d'abord? _____

   _____

3. Pourquoi est-ce que le mari refuse? _____

   _____

4. Quels sont les inconvénients de la montagne? _____

_____

5. Qu'est-ce qui vous réveille le matin à la campagne? _____

_____

6. Qu'est-ce que la dame propose enfin? _____

_____

7. Pourquoi est-ce que le mari n'est pas d'accord? _____

_____

8. Quelle bonne idée a le mari et pourquoi? _____

_____

9. Imaginez la réponse de sa femme. _____

_____

Troisième partie: exercices écrits

I. Choix de l'article. Mettez l'article qui convient ou mettez **de.**

1. A Nice, il y a _____ marchés dans toute _____ ville: _____ marché _____ fleurs, _____ marché _____ poissons, _____ marché _____ légumes. 2. Il y a _____ marché, en particulier, près de _____ Préfecture de _____ Police. 3. C'est _____ marché que je préfère: c'est _____ plus gai et _____ plus pittoresque _____ ville. 4. Un jour, je suis allée _____ marché. 5. J'y ai acheté _____ quantités _____ légumes: _____ carottes, _____ courgettes (*squash*), _____ tomates et _____ laitue (*f.*), _____ olives. 6. _____ tomates et _____ olives poussent bien dans _____ Midi de _____ France. 7. Elles entrent dans _____ composition de la plupart _____ plats. 8. _____ olives sont macérées dans _____ huile. 9. J'ai acheté aussi _____ gros poisson à faire cuire _____ four, _____ poissons de roche et _____ crabes pour faire _____ bouillabaisse (*f.*) 10. _____ bouillabaisse est _____ plat célèbre dans _____ Midi. 11. Avez-vous jamais mangé _____ bouillabaisse? 12. C'est _____ expérience gastronomique unique.

13. J'ai acheté beaucoup _____ fruits. 14. _____ fruits poussent surtout dans _____ vallée _____ Rhône, mais _____ marchands apportent dans cette ville _____ melons, _____ pêches et _____ abricots de leurs vergers. 15. _____ oranges ne poussent pas bien dans _____ Midi. 16. Il n'y a pas _____ citrons non plus; c'est parce que _____ climat n'est pas assez chaud.

17. J'ai aussi acheté _____ fleurs. 18. _____ marché _____ fleurs _____ Nice est _____ plus connu _____ cette région. 19. En _____ hiver on rapporte de Nice _____ œillets (*carnations*) et _____ mimosa _____ amis de Paris, où _____ fleurs ne poussent qu' _____ printemps.

II. Voyages bien organisés. Mettez la préposition qui convient devant le nom de ville (**à**) et le nom de pays (**au, en**). Mettez l'article qui convient devant les noms (défini, indéfini, partitif).

> MODÈLE: Je suis allé __**en**__ Italie; j'ai visité __**les**__ musées de Florence,
> __**les**__ canaux de Venise; j'ai mangé __**des**__ spaghettis et bu
> __**du**__ chianti (*m.*)

1. _____ Grèce, j'ai adoré _____ ruines anciennes et _____ petites églises byzantines. Je me suis baigné dans _____ mer turquoise. J'ai bu _____ vin résiné (*retsina*) et mangé _____ pâtisseries très sucrées.

2. _____ Egypte, j'ai admiré _____ Grande Pyramide et _____ Sphinx. J'ai acheté _____ bijoux d'argent _____ bazar et j'ai mangé _____ excellente soupe _____ lentilles.

3. _____ Salzbourg, j'ai visité _____ palais et _____ maison de Mozart. J'ai écouté _____ valses viennoises à _____ terrasse d'un café et j'ai bu _____ chocolat viennois.

4. _____ Moscou, j'ai attendu longtemps sur _____ Place Rouge pour voir _____ Mausolée de Lénine. J'ai mangé _____ soupe _____ choux à tous _____ repas.

5. _____ Martinique, j'ai pris _____ bains de soleil sur _____ plages blanches et j'ai mangé _____ poisson grillé _____ bord de _____ mer.

6. _____ Mexique, j'ai passé toute _____ journée _____ Musée Archéologique, j'ai admiré _____ pyramides de _____ lune et _____ soleil, j'ai mangé _____ tacos et _____ burritos.

7. Je suis rentré chez moi et j'avais _____ indigestion _____ nourriture et _____ voyages.

III. Que font-ils? Que vendent-ils? A quoi jouent-ils? De quoi jouent-ils? Faites des phrases avec les noms de la colonne de gauche et les noms de la colonne de droite, et un de ces verbes: **faire, vendre, jouer à** ou **de.**

> MODÈLE: Catherine Deneuve   le cinéma
> *Catherine Deneuve **fait du** cinéma.*

1. Chris Evert	a.	autos
2. les Japonais	b.	le rock
3. les Canadiens	c.	le parfum
4. Mme De La Rocha	d.	les montres
5. M. Yo-Yo Ma	e.	le football
6. les Brésiliens	f.	le hockey sur glace
7. les «Fine Young Cannibals»	g.	le tennis
8. les Suisses	h.	le piano
9. M. Yves Saint-Laurent	i.	le violoncelle

1. _____

2. _____

3. _____

4. _____

5. _____

6. _____

7. _____

8. _____

9. _____

IV. **Visite au supermarché.** Mettez dans les espaces vides (*blanks*) le nom des produits que vous avez achetés.

1. J'ai regardé les prix de la _____ , des _____ _____ , du _____ , de la _____ _____ .

2. J'ai acheté du _____ , des _____ , de la _____ et de l' _____ .

3. Le _____ est bon marché. Les _____ sont chères.

4. La _____ raisonnable.

5. Je suis rentré à la _____ . J'avais oublié le _____ et les _____ .

6. Pour faire mon dîner, j'avais besoin de _____ et de _____ .

7. J'ai tout laissé en plan et je suis allé dîner au _____ .

V. **Vocabulaire.** Dans les phrases suivantes, mettez le mot qui convient dans l'espace vide. Choisissez un mot de cette liste.

le tire-bouchon	le décapsuleur	le compotier
le plat à terrine	le glaçon	le plateau
s'affairer	secouer	gentiment
sans cérémonie	pêle-mêle	radieux
une réclamation	tout en plan	s'immobiliser
une émission	éplucher	paresseux

1. Elle _____ la salade dans la baignoire.

2. Quand j'ai beaucoup d'invités, je _____ dans ma cuisine.

3. Ouvre la bouteille de vin! —Je ne trouve pas _____ .

4. Où as-tu mis la salade de fruits? —Dans _____ .

5. Les garçons _____ pour écouter l'annonce des résultats sportifs.

6. Quand il fait chaud, j'aime ajouter des _____ à ma boisson.

7. Ils ont posé les paquets dans la cuisine et ont tout sorti _____ .

56

8. Vous n'êtes pas content de votre achat? Allez au bureau des _____ .

9. Je n'aime pas les complications; j'aime bien recevoir mes amis _____
    _____ pour un dîner simple.

10. Jérôme est _____ ; il n'aide jamais sa femme à la cuisine.

VI. Traduction.

1. Don't worry. _____

2. He dropped everything. _____

3. She knows how to take care of everything. _____
    _____

4. Do you want more coffee? _____
    _____

5. Most Frenchmen smoke. _____

6. In Martinique, there are beautiful beaches. _____
    _____

VII. Un dîner chez les Dorin. Regardez le dessin suivant. Décrivez les actions, les pensées des personnes représentées. Imaginez leur conversation. Vous pouvez utiliser le vocabulaire suggéré.

dresser le couvert • les glaçons • le plateau • la table roulante • l'émission • les résultats sportifs • s'affairer • le tire-bouchon • les victuailles • il y a • se servir de • la cuisinière • le potage (*soup*) • le living • la salle à manger • faire plaisir à • le frigo • l'évier • les fruits • le fromage • la marmite (*pot*) • découper

_____

_____

_____

_____

_____

_____

_____

_____

_____

_____

_____

Chapitre **8**

Le comparatif et le superlatif

Première partie: exercices oraux

Faites ces exercices au laboratoire, sans cahier. Ecoutez le speaker, répondez aux questions, faites les transformations.

Deuxième partie: exercices oraux / écrits

Faites le travail de cette partie au laboratoire, avec votre cahier.

I. Prononciation.

1. Syllabation.   Une syllabe se termine par une voyelle: **a-mi; é-té.** Une consonne double compte pour une seule: **a-rri-vé; a-ttra-pé.**
   Deux consonnes différentes se séparent, la première appartient à la syllabe qui précède, la deuxième appartient à la syllabe qui suit: **per-du; ves-ton.**
   Les groupes suivants ne se séparent pas: **bl, br, tr, dr** (une consonne + **r** ou **l**): **ta-bleau; per-dra.**
   Le **-n** d'une voyelle nasale appartient à la voyelle: **con-tent.**

   EXERCICE.   Divisez tous les mots en syllabes avant d'écouter le speaker. Le speaker vous donne la réponse.

   inimitable _____

   département _____

   destruction _____

   animalité _____

   politiquement _____

   contradiction _____

   probablement _____

   supériorité _____

   instinctivement _____

   anticonstitutionnel _____

2. L'accent tonique. En français on met l'accent sur la dernière syllabe du mot.

professéur   doctéur
américaín   possíble
probablemént   importánt
animál   intelligént

On met l'accent sur la dernière syllabe du groupe de mots.

salle de baín   prof de françaís
midi et demí   exercice écrit
rendez-vóus

3. Le son /ɛ̃/. Le son /ɛ̃/ a plusieurs orthographes.

in	vin	pin	fin
im	simple	timbre	
ain	pain	main	saint
aim	faim		
ein	sein	rein	plein
yn	syndicat		
ym	symphonie		

4. Le son /jɛ̃/ s'écrit **ien** ou **yen**.

bien	tien
vient	rien
tient	moyen
sien	citoyen
mien	

Exceptions:

client = /klijã/
patient = /pasjã/
ils rient = /ilʀi/

5. Le son /wɛ̃/ s'écrit **oin**.

coin	foin
moins	point
soin	loin

6. Contrastez:

/ɛ̃/	/ɛn/
plein	pleine
vain	vaine
sein	seine
rein	Rennes
américain	américaine
canadien	canadienne

7. Contrastez:

/ɛ̃/	/in/
fin	fine
divin	divine
cousin	cousine

8. Mots difficiles.

Daninos   meilleur   mieux   flou   fléau

prudemment   patiemment   erreur   clignotant

II. **Dictée de sons.**   Le speaker prononce un mot. Vous choisissez et vous encerclez (*circle*) le mot que vous entendez. Le speaker vous donne la réponse.

	(1)	(2)	(3)
1.	rein	rien	rient
2.	fine	fini	fin
3.	sans	saine	saint
4.	mieux	mien	meilleur

III. **Poème.**   Le speaker lit le poème. Ecoutez le poème, lu en entier, puis répétez après chaque pause.

Chanson d'automne

Les sanglots longs
Des violons
     De l'automne
Blessent mon cœur
D'une langueur
     Monotone.

Tout suffocant
Et blême, quand
     Sonne l'heure,
Je me souviens
Des jours anciens
     Et je pleure.

Et je m'en vais
Au vent mauvais
     Qui m'emporte,
Deça, delà
Pareil à la
     Feuille morte.

Paul Verlaine

sanglot sob   **blesser** to wound   **langueur** tiredness   **deça, delà** here and there   **pareil** similar

IV. **Compréhension. Un voyage extraordinaire.**   Ecoutez le texte, qui sera lu deux fois. Ensuite arrêtez la machine, et écrivez les réponses aux questions ci-dessous. Puis, écoutez les réponses correctes.

1. Qu'est ce que M. et Mme. Renaud ont trouvé à New York? _____

_____

2. Préfèrent-ils la cuisine américaine? _____

_____

3. Comment est le métro de New York? _____

_____

4. Quelle comparaison est-ce que M. Renaud fait entre Nice et Miami? _____

_____

5. Comment était le jazz à La Nouvelle Orléans? _____

_____

6. Comment sont les vins californiens? _____

_____

7. Comment est-ce que M. Renaud a trouvé Los Angeles? _____

_____

8. Comment sont les salles de bain dans les hôtels français? _____

_____

9. Est-ce que les Renaud sont contents de leur voyage? _____

_____

10. Quand M. Renaud dit qu'ils n'ont pas pensé à la France, est-ce qu'il dit la vérité? Qu'est-ce qu'il a fait, en réalité? _____

_____

_____

Troisième partie: exercices écrits

I. **Le comparatif.** Faites des phrases de comparaison avec le vocabulaire suggéré.

1. Un voyage par avion / être fatigant / un voyage par bateau. (plus) _____

_____

_____

2. Les jupes cette année / être long / l'année dernière. (plus) _____

_____

_____

3. L'est du pays / être sec / l'ouest. (moins) _____

_____

_____

4. Janine / conduire prudemment / sa sœur. (moins) _____

_____

_____

5. Il y a de la végétation / en Californie / en Oregon. (moins) _____

_____

_____

6. Ton frère / réussir / toi. (aussi bien) _____

_____

_____

7. Ce médicament ne me fait pas / de bien / l'autre. (autant) _____

_____

_____

8. Tu es / heureuse dans ta petite maison / moi dans mon grand appartement. (aussi) _____

_____

II. **Meilleur / mieux.** Mettez **meilleur** ou **mieux** dans les phrases suivantes.

1. Le pain de cette boulangerie est _____ .

2. J'ai été malade. Maintenant je vais _____ .

3. Les ouvriers américains sont _____ payés que les ouvriers européens.

4. Le poisson est _____ quand il est frais.

5. Moi, j'aime _____ les légumes congelés.

6. Vos notes sont _____ ce semestre.

7. Nous parlons _____ que nos camarades.

8. Vous allez _____ ? Je crois que vous avez _____ mine.

III. **Plus petit / moindre / plus mauvais / pire.** Mettez les comparatifs **plus petit, moindre, plus mauvais, pire** dans les phrases suivantes.

1. Je mesure 1 m. 50. Vous mesurez 1 m. 48. Vous êtes _____ que moi.

2. Au _____ rhume, la maman s'inquiète.

3. La pollution est _____ dans les villes industrielles.

4. Ce beurre cher est _____ que l'autre, qui est bon marché.

5. Les programmes de télé deviennent _____ en été.

IV. **Le superlatif.** Faites des phrases au superlatif avec le vocabulaire suggéré.

MODÈLE: Le Manitoba / la province / vaste / le continent.
*Le Manitoba est la province **la plus vaste** du continent.*

1. La Rolls / la voiture / cher / le monde. _____

_____

2. Miss Wisconsin / a été élue / la fille / belle / les Etats-Unis. _____

_____

3. Vous avez acheté / le bifteck / dur / le marché. _____

_____

4. Ces exercices sont / difficiles / le livre. _____

_____

5. C'est Pierre qui travaille / bien. _____

_____

6. Ils ont eu / les ennuis / mauvais / leur vie. _____

_____

V. Supériorité mondiale. Avec le vocabulaire de gauche, faites une question au superlatif sur le modèle suivant. Trouvez votre réponse dans la colonne de droite.

MODÈLE: il y a de hautes montagnes

*Quel est le pays (ou **l'endroit** du monde) où il y a **les plus hautes montagnes**? Le Népal.*

1. il pleut beaucoup
2. il fait chaud
3. les spaghettis sont bons
4. on boit une grande quantité de lait
5. on mange beaucoup de riz
6. on fabrique des voitures
7. on fabrique beaucoup de fromages
8. les pingouins sont nombreux
9. vit une femme riche
10. il y a beaucoup de sources d'eau chaude naturelles.

a. la France
b. l'Angleterre
c. le Sahara
d. la Chine
e. Kauai (Hawaï)
f. les Etats-Unis
g. le pôle Sud
h. le Japon
i. l'Islande
j. l'Italie

1. _____
2. _____
3. _____
4. _____
5. _____
6. _____
7. _____
8. _____
9. _____
10. _____

VI. Vocabulaire.

Vocabulaire. Dans les phrases suivantes, mettez le mot qui convient dans l'espace vide. Choisissez un mot de cette liste.

la vitesse	tranquille	menacer
les piétons	le fléau	une conductrice
le clignotant	se confier	terrorisé
le volant	la puissance	blasé
l'allumage	patiemment	le feu rouge
l'allure	prudemment	se méfier

1. Quand on conduit une voiture, on tient _____ dans ses mains.

2. Il faut _____ à ses amis quand on a des ennuis.

3. Les conducteurs de grosses voitures puissantes sont _____ .

4. Le _____ vous indique qu'il faut vous arrêter à un croisement.

5. Au croisement, il faut laisser passer _____ .

6. Vous sentez-vous _____ quand votre jeune sœur conduit votre voiture?

7. Aux Etats-Unis, la limite de _____ est souvent de 55 miles à l'heure.

8. Sur les routes de montagne, il est recommandé de conduire _____ .

9. Il a eu un accident. Il avait oublié de mettre son _____ pour indiquer qu'il allait tourner.

10. Une personne qui a bu et qui conduit est un véritable _____ .

VII. Traduction.

1. Let's take a trip to Europe. Do you prefer to travel by boat rather than take the plane?

   _____

   _____

2. I prefer to take the plane. On a boat, I am seasick and I cannot eat.

   _____

   _____

3. But you are as sick on the plane as on the boat.

   _____

   _____

4. True, but the trip does not last as long; I do not suffer as much as (I do) on the boat.

   _____

   _____

5. Well, let's take the plane then.

_____

_____

6. What countries would you rather visit this time? We have already visited northern countries. I prefer to see countries different from the last time.

_____

_____

_____

7. Well, I have heard (**il paraît**) Swiss hotels are the most expensive in Europe, but they are more comfortable than all the others.

_____

_____

_____

8. Right, but English breakfasts are the largest (**copieux**) of all.

_____

9. The breakfasts are large, but the other meals are the worst in all Europe.

_____

10. French food is the best.

_____

11. Yes, and the French cheeses are more famous than the German.

_____

12. True, but German beer is better than French beer.

_____

13. What about (**Et**) Italy? There are more interesting restaurants than in the other countries.

_____

_____

14. And also their spaghetti (*pluriel en français*) is the most famous in the world.

_____

15. In Greece the pastries are sweeter (**sucré**) than elsewhere (**ailleurs**).

_____

16. In Spain, the sangria . . .

_____

17. The more we speak about traveling, the hungrier I get.

_____

18. I know an excellent international restaurant. Let's go there and forget about our trip. In the end, it will be more economical and more satisfying.

_____

_____

VIII. Un croisement dangereux.   Regardez le dessin suivant. Décrivez les actions, les pensées des personnes représentées. Imaginez leur conversation. Vous pouvez utiliser le vocabulaire suggéré.

le croisement • le feu rouge • le clignotant • la lenteur • la vitesse • le conducteur • la conductrice • se méfier • tranquille • prudemment • traverser • couper le chemin • conduire • tout de suite • plus . . . que • tant . . . que • la moto • menacer • furieux

_____

_____

_____

_____

_____

_____

_____

_____

_____

_____

_____

_____

_____

_____

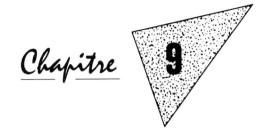

Chapitre **9**

La négation

Première partie: exercices oraux

Faites ces exercices au laboratoire, sans cahier. Ecoutez le speaker, répondez aux questions, faites les transformations.

Deuxième partie: exercices oraux / écrits

Faites le travail de cette partie au laboratoire, avec votre cahier.

I.   Prononciation.

1. Le **-n** final.   On ne prononce pas **-n** final ou **n** devant une consonne. La voyelle est nasale.

an	danse
son	pense
non	peint

    On prononce **n** suivi d'une voyelle, d'un **e** muet ou d'un autre **n.** La voyelle n'est pas nasale.

â / ne	pei / ne
so / nne	pa / nne

2. L'orthographe **gn.**   L'orthographe **gn** représente le son / ɲ / ou / nj /. Comparez avec le **ny** de *canyon.*

montagne	agneau	magnétophone
magnifique	champagne	ignorer
lorgnon	ligne	oignon / ɔɲɔ̃ /

    Exceptions: L'orthographe **gn** représente le son / gn / dans les mots suivants.

diagnostic	magnat
ignition	magnum
agnostique	magnitude

3. Contrastez:

n /n/	**gn** /ɲ/
anneau	agneau
en panne	Espagne
oh! non	oignon
reine	règne
Cannes	Cagnes
ils peinent	ils peignent

4. Révision des sons.

Contrastez:

/ɛ̃/	/ɑ̃/	/ɔ̃/
bain	banc	bon
daim	dans, dent	don
faim	faon	font
lin	lent	long
main	ment	mon
nain	n'en	non
pain	pend	pont
sain	sans	son
vin	vent	vont

5. Mots difficiles.

controverse	plausible
roussi	rendement
asphyxie	peigne
éteindre	étreindre
étendre	entendre

II. Dictée de sons. Le speaker prononce un mot. Vous choisissez et vous encerclez (*circle*) le mot que vous entendez. Le speaker vous donne la réponse.

	(1)	(2)	(3)
1.	éteindre	étendre	entendre
2.	fou	feu	font
3.	Cagnes	quand	Cannes
4.	pond	pend	peint
5.	agneau	anneau	ah! non

III. Poème. Le speaker lit le poème. Ecoutez le poème, lu en entier, puis répétez après chaque pause.

Rondeau

Le temps a laissé son manteau
De vent, de froidure et de pluie,
Et s'est vêtu de broderie,
De soleil luisant, clair et beau.

Il n'y a bête ni oiseau
Qu'en son jargon ne chante ou crie:
Le temps a laissé son manteau
De vent, de froidure et de pluie.

Rivière, fontaine et ruisseau
Portent en livrée jolie
Gouttes d'argent d'orfèvrerie,
Chacun s'habille de nouveau.

Le temps a laissé son manteau.

Charles d'Orléans (1381–1465)

la foidure cold weather   **s'est vêtu** (de **se vêtir**) = **s'habiller**   **la broderie** embroidery
luisant brilliant, shining   **le ruisseau** stream   **la livrée** livery   **la goutte** drop
l'orfèvrerie gold plate

IV. Compréhension. Un mauvais secrétaire. Ecoutez le dialogue suivant qui sera lu deux fois. Ensuite, arrêtez la machine, et écrivez les réponses aux questions ci-dessous. Puis écoutez les réponses correctes.

1. Pourquoi est-ce que le secrétaire n'a pas tapé les lettres? _____

_____

2. Est-ce qu'il a envoyé les lettres de la veille? _____

_____

3. Pourquoi est-ce qu'il n'a pas écrit le rapport? _____

_____

4. Qu'est-ce qu'il fait de bien dans ce bureau? _____

_____

5. Pourquoi est-ce qu'il n'a pas passé de commandes? _____

_____

6. Quels défauts a la directrice du bureau? _____

_____

7. Est-ce que le secrétaire a beaucoup d'expérience? _____

_____

8. Quelles sont les qualités du secrétaire? _____

_____

9. Quelle est la décision finale de la directrice? _____

_____

Troisième partie: exercices écrits

I. **Formes de la négation.** Répondez aux questions à la forme négative.

1. Aimez-vous quelqu'un? _____

_____

2. Avez-vous acheté quelque chose au marché aux puces? _____

_____

3. Allez-vous quelquefois faire du ski? _____

_____

4. Est-ce que vous m'avez tout raconté? _____

_____

5. Avez-vous beaucoup de loisirs? _____

_____

6. Etes-vous déjà fatigué? _____

_____

7. Avez-vous encore faim? _____

_____

8. Est-ce que quelqu'un vous a vu entrer? _____

_____

9. Avez-vous le désir de sortir ce soir? _____

_____

10. Est-ce que quelque chose vous plaît? _____

_____

II. **Place de la négation.** Mettez la négation indiquée entre parenthèses dans les phrases ci-dessous.

1. Il aime le jazz et la musique classique. (ne . . . ni . . . ni . . .) _____

_____

2. Ils ont rencontré. (ne . . . personne) _____

_____

3. Elle a eu du chagrin. (ne . . . aucun) _____

_____

4. Vous vous êtes ennuyé. (ne . . . pas beaucoup) _____

_____

72

5. Tu as vu ce film? (ne . . . jamais) _____

_____

6. Jacques et Paul nous ont écrit. (ni . . . ni . . . ne) _____

_____

7. Elle a compris. (ne . . . pas encore) _____

_____

III. Négations composées. Introduisez les négations combinées dans les groupes suivants.

1. Elle entend. (jamais . . . rien) _____

_____

2. Racontez (à). (rien . . . personne) _____

_____

3. Je dirai (à). (plus . . . rien . . . personne) _____

_____

4. Nous irons à ce supermarché. (jamais . . . plus) _____

_____

IV. Only = ne . . . que / seulement, seul. Introduisez l'expression **ne . . . que,** ou **seul, seulement** dans les phrases suivantes.

MODÈLE: Je bois de l'eau.

*Je **ne** bois **que** de l'eau.*

1. J'ai lu un roman de Sartre. _____

_____

2. Il mange des légumes. _____

_____

3. Il travaille trois jours par semaine. _____

_____

4. Elle se confie à son amie Anne. _____

_____

5. Marie a compris le problème. _____

_____

6. Il veut que vous l'écoutiez. _____

_____

7. Trois semaines jusqu'aux vacances! _____

_____

8. Qui a trouvé la réponse? Jeanne. _____

_____

73

V. **Négativité.** Quelqu'un vous suggère quelque chose. Vous répondez par au moins deux négations. Utilisez le vocabulaire suggéré.

> MODÈLE: *Un ami:* Viens me rejoindre pour jouer au tennis!
> *Vous:* (se sentir bien / avoir envie de jouer)
> *Vous: Non, merci, je ne me sens pas bien et je n'ai aucune envie de jouer au tennis.*

1. *Un représentant:* Monsieur, voulez-vous acheter le produit Miracle pour polir vos meubles?

   Vous: (avoir besoin / posséder des meubles) _____

   _____

2. *Votre grand-mère:* Viens m'aider à repeindre ma cuisine!

   Vous: (avoir le temps / supporter l'odeur de la peinture) _____

   _____

3. *Vos parents:* Tu as dépensé trop d'argent le mois dernier.

   Vous: (acheter quelque chose d'inutile / manger toujours au restaurant) ____

   _____

4. *Une amie:* Si on allait danser ce week-end?

   Vous: (finir déjà votre travail / supporter la musique de rock) _____

   _____

5. *Le professeur:* Vous étiez absent pour le dernier examen!

   Vous: (quelqu'un vous dire qu'il y a un examen / manquer toujours la classe un jour pareil)

   _____

   _____

6. *L'agent de police:* Je vous donne un P.V. pour excès de vitesse.

   Vous: (aller vite / voir un panneau indiquant la vitesse limite) _____

   _____

VI. **Vocabulaire.** Dans les phrases suivantes, mettez le mot qui convient dans l'espace vide. Choisissez un mot de cette liste.

confondre	faire semblant	prétendre
la querelle	éteindre	tout de suite
sentir le roussi	brûler	«De quoi s'agit-il?»
briller	étendre	«Qu'est-ce qu'il y a pour votre service?»
être assuré	le grenier	le pompier
bien entendu	se disputer	

1. Le professeur a entendu les élèves qui se disputaient et a demandé: « _____

   _____ ?»

2. Les étudiants sont fatigués et _____ d'écouter.

3. Y a l'feu! Il faut _____ l'incendie.

4. Ma grand-mère a une grande maison. Dans le _____ il y a des tas d'objets intéressants.

5. Le casque des pompiers _____ au soleil.

6. Après l'incendie, la maison _____ .

7. Je suis prête à partir. Vous venez? —_____ .

8. Ces deux petits garçons _____ tout le temps. Il faut les séparer.

9. Georges a eu un accident. Heureusement il _____ .

VII. Traduction.

1. It's none of your business. _____

2. What is it about? _____

3. There is never anybody. _____

4. I want to ask you a favor. _____

5. There must not be anything. _____

6. Neither do I. _____

VIII. **Je n'ai qu'un ami.** Regardez le dessin suivant. Décrivez la scène. Imaginez les pensées de l'homme et du chien. Vous pouvez utiliser le vocabulaire suggéré.

posséder • des meubles (*furniture*) • manger • fermer le gaz • le grenier • mettre à la porte • les vêtements • le frigo • se laver • des amis • dépenser (*to spend*) • en bonne condition • s'éclairer à la bougie (*to use candlelight*)

_____

_____

_____

_____

_____

_____

_____

_____

_____

_____

_____

_____

_____

_____

Chapitre **10**

L'interrogation

Première partie: exercices oraux

Faites ces exercices au laboratoire, sans cahier. Ecoutez le speaker, répondez aux questions, faites les transformations.

Deuxième partie: exercices oraux / écrits

Faites le travail de cette partie au laboratoire, avec votre cahier.

I.   Prononciation.

1. L'intonation de la phrase déclarative.   L'intonation de la phrase déclarative suit le schéma suivant.

Ils sont partis en province.

Répétez en imitant l'intonation du speaker.

Les voitures d'enfant sont chères.

Nous aimons la moutarde en tube.

Elle a une chambre en location.

Tu as fait la lessive.

Ils habitent dans une H.L.M.

2. Intonation de la phrase interrogative.   Il y a trois types d'intonation.

   a. Si la phrase interrogative est une ancienne déclarative terminée par un point d'interrogation, l'intonation est montante et suit le schéma suivant:

   Ils sont partis en province?

   Répétez en imitant l'intonation du speaker.

   Les voitures d'enfants sont souvent chères?

   Vous aimez la moutarde en tube?

   Elle a une chambre en location?

   Tu as fait la lessive?

   Ils habitent dans une H.L.M.?

   b. Si la phrase interrogative est formée par inversion du sujet, et si on commence par **est-ce que,** on a une intonation descendante et la voix remonte sur la dernière syllabe selon le schéma suivant.

   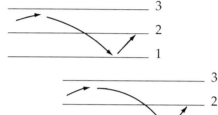

   Sont-ils partis en province?

   Est-ce qu'ils sont partis en province?

   Répétez en imitant l'intonation du speaker.

   Les voitures d'enfant sont-elles chères?

   Aimez-vous la moutarde en tube?

   A-t-elle une chambre en location?

   As-tu fait la lessive?

   Est-ce qu'ils habitent dans une H.L.M.?

   c. Si la phrase interrogative commence par un mot interrogatif (**qui, que, où, comment,** etc.), la voix est haute sur ce mot, redescend, et remonte légèrement à la fin de la phrase, selon le schéma suivant:

   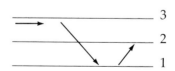

   Qui est le directeur de l'agence?

   Répétez en imitant l'intonation du speaker.

   Où avez-vous acheté cette voiture d'enfant?

   Quelle sorte de moutarde préférez-vous?

   Que faites-vous de cette chambre libre?

   Pourquoi n'as-tu pas fait la lessive?

   A quoi pensez-vous?

3. L'orthographe **qu.**

   a. **qu** se prononce /k/ dans certains mots.

qui	quatre
quand	quel
pour qu'il	

   b. **qua** se prononce /kwa/ dans certain mots.

quatuor	équateur
square	quadruple
équation	

   c. **qui** se prononce /kɥi/ dans certains mots.

équidistant	équilatéral

4. L'orthographe **ch.**

   a. **ch** se prononce /ʃ/ dans certains mots.

chat	bronchite
chien	architecte
cheval	archives
chemise	

   b. **ch** se prononce /k/ dans les mots suivants.

chaos /kao/	psychanalyse
chœur	psychiatre
écho	psychologie
orchestre	Saint-Roch
orchidée	chronique
archaïque	

5. Mots difficiles.

psycho-sociologue	H.L.M.	
sondages-express	magnétophone	
interviewèrent	aspirateurs-traîneaux	
plats surgelés	qu'est-ce-que	qui est-ce que

II. **Dictée de sons.** Le speaker prononce un mot. Vous choisissez et vous encerclez (*circle*) le mot que vous entendez. Le speaker vous donne la réponse.

	(1)	(2)
1.	qu'est-ce que	qui est-ce que
2.	Rachel	Raquelle
3.	exprès	express
4.	Roche	Roch
5.	quatre	croître

III.   Dictée.   Le speaker lit la dictée deux fois. La première fois, vous écoutez. La deuxième fois, écrivez!

_____
_____
_____
_____
_____
_____
_____
_____
_____
_____
_____
_____
_____
_____
_____
_____
_____
_____

IV.   Compréhension.   Le jeu des dix questions.   Vous participez à un jeu de la radio, le jeu des dix questions: vous devez trouver la question qui correspond à la réponse que vous entendez. Ecoutez la réponse, qui sera lue deux fois. Ecrivez la question ci-dessous. Puis, écoutez les questions correctes.

> Modèle: Réponse: C'est un roi de France qui se comparait souvent au soleil.
>
> Question: _Qui est Louis XIV?_

1.   _____
2.   _____
3.   _____
4.   _____
5.   _____
6.   _____
7.   _____
8.   _____
9.   _____
10. _____

Troisième partie: exercices écrits

I. Pronoms de choix. Remplacez les groupes en italique par la forme du pronom de choix: **lequel, laquelle, lesquels.**

> MODÈLE: De ces livres, _____ préférez-vous?
>
> *De ces livres, **lequel** préférez-vous?*

1. Voici *deux photos.* _____ voulez-vous?

2. Nous avons *plusieurs voitures.* _____ aimeriez-vous emprunter?

3. J'ai lu tous ses *romans.* —Ah! oui, _____ a-t-on tiré ce film?

4. De tous *les appartements* que nous avons visités, _____ allons-nous prendre?

5. Cette grand-mère adore *tous ses petits enfants*, mais _____ pense-t-elle plus souvent?

6. _____ *des deux coureurs* gagnera?

II. Mots interrogatifs. Dans ce texte, remplacez les tirets par les mots interrogatifs.

est-il	comment	est-ce que
où	qu'est-ce qui	qui
de quoi	qu'est-ce que	que

Mon Dieu! Je ne trouve plus mon porte-monnaie. _____ j'en ai fait? _____ l'ai-je mis? Voyons. Je l'avais quand je suis allé au marché. _____ je l'ai perdu? Ou bien, on me l'a volé? _____ aurait pu me le prendre? _____ allons-nous vivre tout le reste de la semaine? _____ va dire mon mari? _____ lui expliquer que nous n'avons plus un sou? Allons, cherchons bien. _____ dans mon sac, dans mon panier à provisions? Non. Mais _____ fait une bosse (*bump*) dans la poche de mon manteau? Ah! Voilà, je l'ai trouvé!

III. Pronoms interrogatifs. Complétez les phrases suivantes avec un pronom ou un adjectif interrogatif.

> MODÈLE: _____ vous a téléphoné?
>
> *Qui vous a téléphoné?*

1. _____ est-il devenu?

2. _____ vous servez-vous pour écrire?

3. _____ regardez-vous? —Un album de vieilles photos.

4. _____ vous écoutez? —Un disque d'Aznavour.

5. _____ pensez-vous? —Aux vacances.

6. _____ est la différence entre une voiture française et une voiture américaine?

7. _____ l'écologie?

8. _____ votre père parlait-il?

9. _____ fait ce bruit dans la rue? —Les camions.

10. _____ a dit le professeur? —Rien.

IV. Pronoms interrogatifs. Faites une question pour les réponses suivantes. La question doit être posée à propos du mot en italique.

MODÈLE: Il a perdu *son argent*.
Qu'est-ce qu'il a perdu?

1. Ils attendent *l'autobus*. _____

2. *Mes amis* m'ont écrit. _____

3. *Les sciences* l'intéressent. _____

4. J'ai envie *d'un bon biftek*. _____

5. Je veux acheter *une grosse voiture*. _____

6. Ils habitent *la grande* maison *à droite*. _____

7. Mon père est *mécanicien*. _____

8. C'est *le téléphone* qui sonne. _____

9. Elle sort *avec mon cousin*. _____

10. Il pense *à son avenir*. _____

11. Un diplodocus est *un animal préhistorique*. _____

12. *Manger et dormir* sont mes occupations préférées. _____

V. Vocabulaire. Dans les phrases suivantes, mettez le mot qui convient dans l'espace vide. Choisissez un mot de cette liste.

faire confiance	teindre	faire tenir
en sachets	les eaux minérales	les boissons alcoolisées
onctueuse	la lessive	faire une confidence
tousser	les pâtes	un ordinateur
express	la papeterie	les conserves
déchirer	en boîtes	le magnétophone

1. Quand vous _____ , il faut prendre un sirop.

2. Ma sœur met de la laque sur ses cheveux pour les _____ .

3. Moi, j'achète toujours de la bière _____ , puis je recycle l'aluminium.

4. Tu as mis trop de _____ dans la machine à laver.

5. Le professeur apporte toujours un _____ en classe pour nous faire écouter des chansons.

6. Cette glace à la pêche, faite avec de la crème, est vraiment _____ .

7. Mon boucher me donne toujours les meilleurs morceaux. Je lui _____

    _____ .

8. Quand on fait une longue marche en montagne, il n'est pas recommandé de boire des

    _____ .

9. On achète des cahiers, des crayons, du papier à lettres dans une _____

    _____ .

10. Je ne le reconnais plus depuis qu'il s'est fait _____ les cheveux.

VI. Traduction.

1. What's the matter with you? _____

2. What are you up to? _____

3. What is that? _____

4. What is going on? _____

5. What is the difference? _____

VII. Une enquête à la grande surface. Que va faire la jeune fille qui a un magnétophone? Imaginez au moins dix questions qu'elle va poser aux différentes personnes de cette scène.

administrer un questionnaire • les journaux • les revues • être pour ou contre • un sac à dos • un sac de couchage • un réchaud • être pressé • la maroquinerie (*leather goods store*) • une valise • une enquête

_____

_____

_____

_____

_____

_____

_____

_____

_____

_____

_____

_____

_____

_____

Chapitre **11**

Les pronoms personnels

Première partie: exercices oraux

Faites ces exercices au laboratoire, sans cahier. Ecoutez le speaker, répondez aux questions, faites les transformations.

Deuxième partie: exercices oraux / écrits

Faites le travail de cette partie au laboratoire, avec votre cahier.

I. Prononciation.

1. L'enchaînement vocalique consiste à lier (*carry on*) les sons de deux ou plusieurs voyelles successives. On n'arrête pas la voix entre les voyelles.

Voilà Anne.	/vwalaan/
André a un rhume.	/eaœ̃/
Elle a eu un bébé.	/ayœ̃/
Là-haut à la montagne.	/ɑoa/
Il a eu une idée.	/ayy/
lundi à onze heures	/iaɔ̃/
en mai et en juin	/eeɑ̃/

2. L'enchaînement consonantique.   On applique le principe de la syllabation au groupe de mots. **Avec amour** divisé en syllabes est prononcé **a-ve-ca-mour.** On prononce la dernière consonne d'un mot avec la première syllabe du mot suivant, sans arrêter la voix.

avec amour	/avɛk-amuʀ/
Il a peur.	/i-la-pœʀ/
Elle est là.	/ɛ-lɛ-lɑ/
Il étudie.	/i-le-ty-di/
quatre ans	/ka — tʀɑ̃/
le peuple américain	/lə-pœ-pla-me-ʀi-kɛ̃/
Quelle idée!	/kɛ-li-de/

3. Les sons /œ̃/ et /ɔm/. Le son /œ̃/ de l'article **un** se retrouve dans quelques mots communs, écrits **un** ou **um.**

lundi   parfum   humble

Dans quelques mots um se prononce /ɔm/.

rhum   maximum   minimum

On prononce **un** différemment de **in** surtout dans des mots très proches.

Contrastez:

/œ̃/	/ɛ̃/
brun (*brown*)	brin (*weed*)
d'un	daim (*deer*)
défunt (*deceased*)	des fins (*some ends*)
à jeun (*without breakfast*)	Agen (*French city*)
Mœung (*French city*)	main
à lundi	Alain dit

Contrastez:

un /œ̃/	une /yn/
chacun	chacune
les uns	les unes
aucun	aucune
brun	brune
importun	importune

Contrastez:

un, um /œ̃/	ume /ym/
parfum	parfume
brun	brune
les embruns	embrume

4. Mots difficiles.

chapeau de paille	mauvais sang
aide-cuisinier	oreillons
bateau-fantôme	océanographique
quarantaine	

II. **Dictée de sons.** Le speaker prononce un mot. Vous choisissez et vous encerclez (*circle*) le mot que vous entendez. Le speaker vous donne la réponse:

	(1)	(2)	(3)
1.	brun	brin	brune
2.	rond	rhume	rhum
3.	coup	coupe	coupé
4.	d'un	daim	d'une
5.	Lézin	les uns	les unes

III. Poème. Le speaker lit le poème. Ecoutez le poème, lu en entier, puis répétez après chaque pause.

La Grenouille qui veut se faire aussi grosse que le bœuf

Une grenouille vit un bœuf.
Qui lui sembla de belle taille.
Elle, qui n'était pas grosse en tout comme un œuf,
Envieuse, s'étend, et s'enfle et se travaille,
  Pour égaler l'animal en grosseur,
  Disant: «Regardez bien, ma sœur;
Est-ce assez? dites-moi; n'y suis-je point encore?
—Nenni. —M'y voici donc? —Point du tout. —M'y voilà?
—Vous n'en approchez point.» La chétive pécore
  S'enfla si bien qu'elle creva.

La Fontaine

la grenouille frog   **le bœuf** ox   **de belle taille** of a good size   **un œuf** egg   **s'étendre** to stretch out   **s'enfle** inflates herself   **la grosseur** fatness, size   **nenni** not at all (*old French*)   **la chétive pécore** the despicable and stupid animal   **crever** to puncture, explode

IV. Compréhension. L'équipage est au complet. Ecoutez le dialogue suivant entre deux jeunes filles qui sera lu deux fois. Ensuite, arrêtez la machine, et écrivez les réponses aux questions ci-dessous. Puis écoutez les réponses correctes.

1. Que vont faire Caroline, ses frères et son oncle? _____

   _____

2. Pourquoi est-ce que Caroline invite Stéphanie? _____

   _____

3. Est-ce que Stéphanie est un bon matelot? Quelles sont ses qualités? _____

   _____

4. De quoi est-ce que Stéphanie a peur? _____

   _____

5. Qu'est-ce que Caroline va emporter pour prévenir le mal de mer? _____

   _____

6. Combien de temps va durer le voyage? _____

   _____

7. Qui est-ce que Stéphanie veut emmener avec elle? _____

   _____

8. Pourquoi est-ce que Caroline ne veut pas de Fido? _____

   _____

9. Quelle excuse est-ce que Stéphanie a trouvée? _____

_____

10. En réalité, quelles sont les pensées de Stéphanie? _____

_____

Troisième partie: exercices écrits

I. Formes des pronoms.   Remplacez les groupes en italique par le pronom qui convient.

1. Elle mange *les fruits.* _____

2. Vous cherchez *des questions?* _____

3. Nous étudions *la poésie* par cœur. _____

4. Il attend *son amie* au café. _____

5. Marcel apprend la nouvelle *à ses parents.* _____

6. Je profite *du beau temps.* _____

7. Il a eu plusieurs *accidents.* _____

8. Je sais jouer *du piano.* _____

9. Vous pensez *à ce poème.* _____

10. Il fait attention *à l'orthographe.* _____

II. Formes et place des pronoms.   Remplacez les groupes en italique par les pronoms qui conviennent.

1. Elle donne *la main au petit garçon.* _____

2. Je prête *mon livre à Isabelle.* _____

3. Tu empruntes *de l'argent à ta sœur?* _____

4. Vous envoyez *des fleurs à la princesse.* _____

5. Marcel présente *la jeune fille à ses parents.* _____

6. Il s'occupe *de ses affaires.* _____

7. Vous pensez *à votre avenir.* _____

8. Tu penses *à une écrivaine célèbre.* _____

9. Ils ne tiennent pas *aux valeurs traditionnelles.* _____

10. Elle donne *du souci à ses parents.* _____

III. Formes et place des pronoms à l'impératif. Dans les phrases suivantes, remplacez les groupes en italique par des pronoms. Répétez la phrase obtenue (1) à l'impératif positif, (2) à l'impératif négatif.

MODÈLE: Vous **m'**expliquez la **leçon.**

*Vous **me** l'expliquez.*
*Expliquez-**la-moi.***
*Ne **me** l'expliquez pas.*

1. Nous donnons *les réponses à l'inspecteur.* _____

_____

_____

2. Vous envoyez *des nouvelles à vos parents.* _____

_____

_____

3. Tu prêtes *ton stylo à Maurice.* _____

_____

_____

4. Nous pensons *à notre santé.* _____

_____

_____

IV. Une secrétaire parfaite. La directrice demande à sa secrétaire de faire quelque chose; elle l'a déjà fait. Suivez le modèle.

MODÈLE: Tapez cette lettre.

*Tapez-**la** vite!*

—*Je l'ai déjà **tapée.***

1. Rangez les dossiers. _____
2. Ecrivez le rapport. _____
3. Envoyez ces renseignements à M. Perrault. _____
4. Préparez le programme de la réunion. _____
5. Collez ces enveloppes (f.) _____
6. Téléphonez à ces clients. _____

V. Un grand dîner. M. et Mme Lebrun préparent un grand dîner. Mme Lebrun parle à M. Lebrun et lui demande ce qu'il a fait. M. Lebrun répond oui ou non. Suivez le modèle.

> Modèle: *Mme L.: Tu as commandé la tarte?*
>
> *M. L.: Non, j'ai oublié de **la** commander.*

1. *Mme L.:* Tu as acheté du champagne? —Oui, _____

2. *Mme L.:* Tu as envoyé les invitations? —Non, je _____

3. *Mme L.:* As-tu nettoyé la salle à manger? —Oui, je _____

4. *Mme L.:* As-tu fait les commissions? —Non, je _____

5. *Mme L.:* As-tu téléphoné à ma sœur? —Oui, je _____

6. *Mme L.:* Vas-tu mettre le couvert? —Oui, je _____

VI. Un garçon consciencieux. Le garçon no. 1 a fini sa journée de travail. Le garçon no. 2 commence son service. Le garçon no. 1 passe les commandes au garçon no. 2. Suivez le modèle. (Les mots en italique sont remplacés par un pronom.)

> Modèle: Garçon no. 1: La dame en blanc veut un Coca. / apporter un *Coca à la dame*
>
> *Apporte-**lui-en** un.*

1. Le monsieur en noir a commandé un Dubonnet. / servir un *Dubonnet* bien frais *à ce monsieur*

   _____

   _____

2. La jeune fille en bleu n'a pas payé son sandwich. / demander *à la jeune fille* de payer *son sandwich* _____

   _____

3. Le jeune homme sur la terrasse attend sa fiancée. / demander *à ce jeune homme* ce qu'il veut

   _____

   _____

4. Les deux dames assises à droite veulent du gin. / dire qu'on n'a pas *de gin* _____

   _____

5. Le petit garçon avec la dame en blanc désire une orangeade gratuite. / demander au patron si on peut donner une *orangeade au petit garçon* _____

   _____

6. Le chien qui accompagne le monsieur en noir a l'air d'avoir soif. / donner un peu d'*eau au chien* _____

   _____

VII. Vocabulaire. Dans les phrases suivantes, mettez le mot qui convient dans l'espace vide. Choisissez un mot de cette liste.

l'équipage	le voilier	le pont
le matelot	préserver	la fièvre
remuer	l'école communale	imbécile
la peste	le squelette	empêcher
la quarantaine	attraper	fou
la santé	la nouvelle	le lycée

1. Marius est un _____ parce qu'il ne comprend pas qu'il fait de la peine à son père.

2. Un bateau qui navigue grâce à la force du vent est un _____ .

3. Sur _____ du bateau, les passagers peuvent faire une promenade.

4. Le capitaine, les matelots, le cuisinier forment _____ .

5. _____ est une maladie qui a dévasté l'Europe au Moyen-Age.

6. Quand la mer est agitée, le bateau _____ .

7. Les enfants vont à _____ jusqu'à l'âge de dix ou douze ans.

8. Cet homme est toujours malade, il n'est pas en bonne _____ .

9. A cause d'une maladie contagieuse à bord, le bateau est en _____ .

10. Cette maman est super-anxieuse: elle _____ ses enfants de sortir quand il fait froid.

VIII. Traduction.

1. I think of her every day. _____

2. Let me tell you about my life. _____

_____

3. It's no use. _____

4. He did it on purpose. _____

5. Tell her that for me. _____

6. That's the way he is. _____

IX. A la poste. Regardez le dessin suivant. Décrivez les actions, les pensées des personnes représentées. Imaginez leur conversation. Vous pouvez utiliser le vocabulaire suggéré.

le timbre (*stamp*) • coller (*to stick*) • le mandat (*money order*) • le colis postal (*parcel*) •
la poste restante (*general delivery*) • la cabine (*telephone booth*) • l'employé •
se rendre compte • écrire à • demander à • plus tard • refuser • faire la queue •
le guichet (*window*)

_____

_____

_____

_____

_____

_____

_____

_____

_____

_____

_____

_____

_____

Chapitre 12

Le verbe pronominal

Première partie: exercices oraux

Faites ces exercices au laboratoire, sans cahier. Ecoutez le speaker, répondez aux questions, faites les transformations.

Deuxième partie: exercices oraux / écrits

Faites le travail de cette partie au laboratoire, avec votre cahier.

I. Prononciation.

1. Prononciation des nombres de 1 à 10.

	nom qui commence par une voyelle ou **h** *muet*	*nom qui commence par une consonne ou* **h** *aspiré*	*nombre en finale*
a.	/œ̃n/ un éléphant un homme	/œ̃/ un chien un haricot	/œ̃/ j'en ai un
b.	/døz/ deux éléphants deux hommes	/dø/ deux chiens deux haricots	/dø/ j'en ai deux
c.	/tʀwɑz/ trois éléphants trois hommes	/tʀwɑ/ trois chiens trois haricots	/tʀwɑ/ j'en ai trois
d.	/katʀ/ quatre éléphants quatre hommes	/katʀə/ quatre chiens quatre haricots	/katʀ/ j'en ai quatre
e.	/sɛ̃k/ cinq éléphants cinq hommes	/sɛ̃/ cinq chiens cinq haricots	/sɛ̃k/ j'en ai cinq

f.	/siz/	/si/	/sis/

f. /siz/ /si/ /sis/

six éléphants six chiens j'en ai six
six hommes six haricots

g. /sɛt/ /sɛt/ /sɛt/

sept éléphants sept chiens j'en ai sept
sept hommes sept haricots

h. /ɥit/ /ɥi/ /ɥit/

huit éléphants huit chiens j'en ai huit
huit hommes huit haricots

i. /nœf/ /nœf/ /nœf/

neuf éléphants neuf chiens j'en ai neuf
neuf hommes neuf haricots

j. /diz/ /di/ /dis/

dix éléphants dix chiens j'en ai dix
dix hommes dix haricots

2. Les groupes **Je ne, je le, je ne le, il ne, elle ne.**

a. **Je né** = /ʒœn/ dans

Je né sais pas.
Je né peux pas.
Je né veux pas.
Je né pense pas.
Je né dis pas.

b. **Je lé** = /ʒœl/ dans

Je lé sais.
Je lé peux.
Je lé veux.
Je lé pense.
Je lé dis.

c. **Je né le** = /ʒœnlə/ dans

Je né le sais pas.
Je né le peux pas.
Je né le veux pas.
Je né le pense pas.
Je né le dis pas.

d. **Il ne, ellé ne** =
/ilnə/, /ɛlnə/ dans

Il ne sait pas.   Ellé ne sait pas.
Il ne peut pas.   Ellé ne peut pas.
Il ne veut pas.   Ellé ne veut pas.
Il ne pense pas.   Ellé ne pense pas.

3. **Pas de** se prononce /pɑd/.

pas dé chance   pas dé vacances
pas dé pain   pas dé mariage
pas dé travail

4. Mots difficiles.

Camara Laye   verrouilla
Himourana   extorquer
Kouyaté   je les hais
il se rengorgea

II. **Dictée de sons.** Le speaker prononce un mot. Vous choisissez et vous encerclez (*circle*) le mot que vous entendez. Le speaker vous donne la réponse.

	(1)	(2)	(3)
1.	dix (hiboux)	(il en veut) dix	dix (enfants)
2.	neuf (heures)	neuf (ans)	neuf (enfants)
3.	huit (amis)	huit (dollars)	(il y en a) huit
4.	six (pommes)	(j'en ai) six	six (amis)
5.	cent	saint	cinq (août)

III. **Dictée.** Le speaker lit la dictée deux fois. La première fois, vous écoutez. La deuxième fois, écrivez!

_____
_____
_____
_____
_____
_____
_____
_____
_____
_____
_____
_____
_____
_____

IV. **Compréhension. Un père juste.** Ecoutez le dialogue suivant qui sera lu deux fois. Ensuite, arrêtez la machine, et écrivez les réponses aux questions ci-dessous. Puis écoutez les réponses correctes.

1. Pourquoi est-ce qu'Adrien veut que son père se batte avec le père d'Henri? _____

_____

2. Comment cela s'est-il passé? _____

_____

3. Est-ce que le père d'Henri s'est expliqué avant? _____

_____

4. Comment est-ce que les lunettes d'Henri se sont cassées? _____

_____

5. Est-ce qu'Adrien pense que c'était sa faute? _____

_____

6. De quoi Henri souffre-t-il aussi? _____

_____

7. Qu'est-ce que le père d'Adrien va faire? _____

_____

8. Quelle phrase est-ce qu'Adrien va écrire cent fois? _____

_____

Troisième partie: exercices écrits

I. Donnez les formes des verbes pronominaux suivants.

1. elle (se laver) (*passé composé négatif*) _____
2. tu (se rappeler) (*présent affirmatif*) _____
3. vous (se téléphoner) (*présent interrogatif*) _____
4. nous (se précipiter) (*imparfait affirmatif*) _____
5. je (s'asseoir) (*passé composé négatif*) _____
6. elles (s'apercevoir) (*plus-que-parfait interrogatif*) _____
7. il (s'envoler) (*imparfait négatif*) _____
8. nous (s'enfuir) (*présent négatif*) _____
9. elle (s'échapper) (*passé composé affirmatif*) _____
10. tu (se dépêcher) (*impératif affirmatif*) _____

II. Identifiez le sens de chaque verbe (*réfléchi, réciproque, passif, seulement pronominal, verbe avec un nouveau sens*); puis donnez la traduction en anglais.

1. Elle s'est vue dans la glace. _____
2. Ils s'écrivaient. _____
3. Je me suis perdue. _____
4. Vous vous doutez qu'elle ment. _____

_____

5. Ce verbe ne se conjugue pas à tous les temps. _____

_____

6. Tu te maquilles. _____
7. L'oiseau s'envole. _____
8. Les années se suivent. _____
9. Elle s'est regardée. _____
10. S'embrasser dans la rue, ça se fait en France. _____

_____

III. **Indépendance.** Dites ce que ces personnes font toutes seules.

> MODÈLE: La maman **lave** le petit garçon.
> *Le petit garçon **se lave** tout seul.*

1. Tu as besoin d'un réveil pour te réveiller le matin? Non, je _____
_____

2. Vous avez perdu votre chemin? Vous _____

3. La musique endormait Caroline. Elle _____

4. La cosméticienne va maquiller les jeunes filles. Elles _____
_____

5. Le valet habille M. le comte. Il _____

6. Le coiffeur a rasé les clients. Ils _____

IV. **Une personne trop pressée.** Mettez les verbes du paragraphe suivant au passé composé. (*Attention:* il y a deux verbes au plus-que-parfait et deux verbes à l'imparfait!)

1. Ce matin je me lève _____ à 6 heures.   2. Je ne me lave pas _____ parce que j'ai pris _____ un bain la veille.   3. Je me nettoie _____ juste le bout du nez.

4. Je me coiffe _____ et je m'habille _____ .

5. Je regarde _____ l'heure et je m'aperçois _____ qu'il est déjà 7 heures.   6. Je me dépêche _____ .   7. Je ne me fais pas _____ de petit déjeuner compliqué.   8. Pas le temps! Je me contente _____ d'un bol de café.   9. Je me précipite _____ dehors.

10. Je me rends compte _____ que je suis _____ déjà en retard.   11. L'autobus s'arrête _____ au coin de la rue.   12. Je m'élance _____ et je m'assieds _____ essoufflé, sur une banquette.   13. L'autobus se remet _____ en route.   14. Catastrophe! L'autobus se dirige _____ dans une autre direction.   15. Je me suis trompé _____ d'autobus!

V. **Recommandation.** Faites une phrase à l'impératif d'une verbe pronominal pour exprimer les idées suivantes.

1. Vous dites à votre enfant d'aller plus vite. _____
_____

2. Vous dites à vos amis de ne pas se faire de souci. _____

_____

3. Vous dites à un groupe de vous accompagner dans une promenade. _____

_____

4. Vous défendez à un enfant de s'asseoir sur un canapé. _____

_____

5. Vous défendez à vos parents de se mettre en colère. _____

_____

6. Vous dites à Barbara de se rappeler. _____

_____

7. Vous demandez à un groupe de personnes et à vous-même de rester calmes. _____

_____

8. Vous demandez à un groupe de personnes et à vous-même de ne pas s'énerver. _____

_____

VI. Vocabulaire. Dans les phrases suivantes, mettez le mot qui convient dans l'espace vide. Choisissez un mot de cette liste.

braver	se venger
convenable	se verser
un coup d'œil	les brimades
frapper	la fessée
la galette	s'échapper
la gifle	Voilà du joli!
Par Allah!	se répandre

1. Camara est bien courageux de _____ quelqu'un qui est plus fort que lui.

2. Cette famille nombreuse vient d'acheter une grande voiture; la précédente était trop petite et n'avait pas la taille _____ .

3. Quand je rentre à la maison, je vais toujours à la cuisine pour jeter _____ dans les marmites et voir ce qu'on prépare pour le dîner.

4. Tu n'es pas allée à l'église dimanche? _____ !

5. Le 6 janvier, en France, on déguste une _____ des Rois: c'est un gâteau délicieux qui célèbre l'épiphanie.

6. Dans les lycées, il y a encore beaucoup de _____ : les grands infligent toutes sortes d'humiliations aux petits.

7. Le comte de Monte-Cristo _____ de la prison du château d'If et _____ de toutes les personnes qui lui avaient fait du mal.

VII. Traduction.

1. Be kind enough to sit down. _____

_____

2. He poured some coffee for himself. _____

_____

3. I realize I am late. _____

_____

4. Hurry up! Remember! _____

_____

5. Give me a call. _____

_____

6. Do you want a hand? _____

_____

VIII. En classe. Regardez le dessin suivant. Décrivez les actions, les pensées des personnes représentées. Imaginez leur conversation. Vous pouvez utiliser le vocabulaire suggéré.

le bureau • le sujet de la rédaction • faire des corrections • le maître • au premier rang • dans le fond de la classe • la galette • peler • le tableau • sucer son stylo • taquiner (*to tease*) • la brimade

_____

_____

_____

_____

_____

_____

_____

_____

_____

_____

_____

_____

Chapitre **13**

L'infinitif

Première partie: exercices oraux

Faites ces exercices au laboratoire, sans cahier. Ecoutez le speaker, répondez aux questions, faites les transformations.

Deuxième partie: exercices oraux / écrits

Faites le travail de cette partie au laboratoire, avec votre cahier.

I. Prononciation.

1. La terminaison **-er**.

    a. La terminaison **-er** est prononcée / e / dans tous les verbes du 1er groupe, dans la majorité des noms et des adjectifs.

manger	boucher
aller	léger
donner	premier
boulanger	dernier
épicier	

    La terminaison **-er** est prononcée / ɛʀ / dans les mots suivants.

amer (*bitter*)	fer (*iron*)
cancer	fier
cher	hiver
cuiller (*spoon*)	hier
enfer (*hell*)	mer
éther	ver (*worm*)

    et dans les mots étrangers suivants.

Esther	reporter
Jupiter	revolver
gangster	starter

    La terminaison **-er** est prononcée / œʀ / dans les mots suivants.

leader	steamer

2. Les terminaisons **-tre, -dre, -pre, -bre, -fre, -vre.** Si ces terminaisons sont à l'intérieur d'un groupe, il y a un enchaînement avec la voyelle du mot suivant.

votre̷ enfant   octobre̷ à Paris

répondre̷ au téléphone   offre̷ un verre

un propre̷ à rien

Si ces terminaisons sont à la fin d'un groupe, elles sont chuchotées (*whispered*).

c'est le vôtre   en septembre
il faut répondre   c'est propre
c'est une jolie chèvre   tu en offres

Le **-r** final est muet dans les mots suivants.

monsieur /məsjø/   messieurs /mesjø/   gars /gɑ/

3. Le **-l** final.

   a. Le **-l** final est généralement prononcé.

   seul   bol   mal

   b. Le **-l** final n'est pas prononcé dans les mots suivants.

   poul̷s̷ (*pulse*) /pu/   cul de̷ sac /kydsak/
   saoul (*drunk*) /su/   Renaul̷t /ʀəno/

   c. La finale **-il** après une consonne est prononcée /il/

   il   fil (*thread*)
   cil (*eyelash*)   fils (*threads*)
   Nil (*Nile*)

   d. La finale **-il** est prononcée /i/ dans les mots suivants.

   genti̷l̷   outi̷l̷ (*tool*)
   fusi̷l̷ (*gun*)   sourci̷l̷ (*eyebrow*)
   nombri̷l̷ (*navel*)   persi̷l̷ (*parsley*)

   Attention: fils (*son, sons*) = /fis/

   e. La finale **-ille** après une consonne est prononcée /ij/.

   fille   famille   gentille

   f. La finale **-ille** après une consonne est prononcée /il/ dans les mots suivants.

   ville   mille
   Lille   tranquille
   Gilles

   g. Les finales **-il** et **-ille** après une voyelle sont prononcées /j/.

   deuil /dœj/   paille /paj/   soleil /sɔlɛj/
   œil /œj/   muraille /myʀaj/   pareil /paʀɛj/
   feuille /fœj/   Versailles /vɛʀsaj/ merveille /mɛʀvɛj/

4. Mots difficiles.

   pavillon de banlieue   veille vieille
   Prunelle   dépareillés
   pulls   salière
   plier piller   psycho-pédiatre

II. Dictée de sons. Le speaker prononce un mot. Vous choisissez et vous encerclez (*circle*) le mot que vous entendez. Le speaker vous donne la réponse.

	(1)	(2)	(3)
1.	aller	à l'air	à l'heure
2.	(il est) fier	(se) fier	faire
3.	lit d'air	leader	laideur
4.	poule	pouls	pôle
5.	outil	ont-ils	a-t-il
6.	saoule	saule	saoul

III. Dictée. Le speaker lit la dictée deux fois. La première fois, vous écoutez. La deuxième fois, écrivez!

_____

_____

_____

_____

_____

_____

_____

_____

_____

_____

_____

_____

_____

_____

_____

_____

_____

IV. Compréhension. Modes d'emploi. Les étiquettes ou la publicité qui se trouvent sur les boîtes de plusieurs appareils ont été mélangées. Essayez de les mettre en ordre. Ecoutez les descriptions suivantes, qui seront lues deux fois. La liste des appareils se trouve ci-dessous; écrivez le nom de l'appareil en question. Le speaker vous donne la réponse correcte.

Les appareils

un frigo	un séchoir à cheveux
un aspirateur	un chauffe-eau
un micro-ordinateur	un magnétophone
une caméra-vidéo	une machine à laver

1. _____

2. _____

3. _____

4. _____

5. _____

6. _____

7. _____

8. _____

Troisième partie: exercices écrits

I. Donnez l'infinitif présent et l'infinitif passé des verbes suivants.

MODÈLE: il **tendit**   *tendre*   *avoir tendu*

1. elle rejoignit _____ _____

2. il fallait _____ _____

3. tu descends _____ _____

4. vous écrivez _____ _____

5. nous avions pris _____ _____

6. ils s'étaient arrêtés _____ _____

7. je crois _____ _____

8. il sourit _____ _____

9. tu viens _____ _____

10. elle vit _____ _____

II. Dans les phrases suivantes, mettez la préposition qui convient, **à** ou **de,** ou ne mettez rien.

1. Nous préférons _____ rester.

2. Elle a oublié _____ venir.

3. Je tiens _____ vous le dire.

4. Il passe son temps _____ dormir.

5. Ce vin est bon _____ boire.

6. Il n'est pas bon _____ boire trop de vin.

7. C'est une chose facile _____ comprendre.

8. Elle nous a invités _____ dîner.

9. Elle paraît _____ avoir compris.

10. Au lieu _____ dormir, il regarde la télé.

11. Il vaudrait mieux _____ penser à votre travail.

12. Essayez donc _____ comprendre!

13. Il a demandé _____ sortir.

14. Il lui a demandé _____ sortir.

15. Tu as le temps _____ lire?

16. Il y a une maison _____ vendre au coin de la rue.

17. Ils sont obligés _____ déménager.

18. J'espère _____ vous revoir.

19. _____ partir, c'est mourir un peu.

20. Elle s'est mise _____ pleurer.

III. Combinez les phrases données en suivant le modèle.

MODÈLE: elle **fait** / les enfants (dorment)
*Elle **fait dormir** les enfants.*

1. Janine travaille dans un jardin d'enfants. Tous les jours elle fait

    les enfants jouent / ils dessinent / ils colorent des images _____

    _____

    _____

2. Elle regarde

    les enfants courent / ils sautent et dansent / ils font des pâtés de sable _____

    _____

    _____

3. Plus tard elle fait

    les plus petits font une sieste / les plus grands écoutent de la musique _____

    _____

    _____

4. Enfin elle laisse

    tout le monde crie / chante _____

    _____

    _____

5. Le soir elle est tellement fatiguée qu'elle ne peut plus rien faire elle-même. Elle fait

    son mari prépare le dîner / ses enfants font la vaisselle _____

    _____

    _____

6. Sa famille laisse

    elle se repose / elle regarde la télé _____

    _____

    _____

IV. Le nouveau secrétaire. Mme Buron a des difficultés avec son nouveau secrétaire. Combinez les phrases de gauche avec un groupe de droite.

1. le secrétaire oublie
2. il préfère
3. il refuse
4. il n'arrive pas
5. il fait semblant
6. il néglige
7. Mme Buron essaie
8. elle menace
9. elle regrette
10. elle finit par
11. elle décide

a. il bavarde avec les autres employés
b. il tape assez vite
c. il lui sert du café
d. il poste ses lettres
e. il range les dossiers
f. il travaille
g. elle diminue son salaire
h. elle l'a engagé
i. elle renvoie
j. elle trouve un autre secrétaire
k. elle est patiente

1. _____
2. _____
3. _____
4. _____
5. _____
6. _____
7. _____
8. _____
9. _____
10. _____
11. _____

V. Recette et mode d'emploi. Répétez la recette et le mode d'emploi suivants avec l'infinitif.

1. Pour faire une sauce béchamelle, vous faites fondre du beurre dans une casserole, vous ajoutez de la farine, vous mélangez bien, vous laissez cuire la farine un moment. Vous vous servez d'une cuillère en bois. Vous versez du lait chaud et vous tournez avec la cuillère. Quand la sauce est devenue épaisse, vous baissez le feu et vous ajoutez du sel, du poivre, du fromage râpé (*grated*).

2. Ce walkman est délicat (*sensitive*). Ne l'exposez pas à la pluie ni au soleil. Utilisez des piles (*batteries*) de bonne qualité. Ne le laissez pas tomber. Ne le prêtez à personne.

1. _____
_____
_____
_____
_____
_____
_____
_____

2. _____

_____

_____

_____

_____

VI. **Vocabulaire.** Dans les phrases suivantes, mettez le mot qui convient dans l'espace vide. Choisissez un mot de cette liste.

un associé	le congélateur	un avis
le bloc	interdire	le panier à linge
malgré	mépriser	tandis que
la récompense	le cahier de textes	la bougie
entasser	un autocollant	au moins
ramasser	au hasard	confier

1. Nicole est très désordonnée. Elle laisse ses vêtements sales par terre au lieu de les mettre

dans _____ .

2. Michel n'a pas pu faire ses devoirs parce qu'il avait oublié son _____

_____ .

3. Une équipe de volontaires _____ tous les vieux papiers et les

boîtes de conserve qui traînaient dans la rue.

4. Mon père a dû partir très vite en voyage: il _____ quelques

vêtements dans une valise et il a pris l'avion.

5. Quand je pars en vacances, je _____ mon chat adoré à ma voisine.

6. Notre chien a disparu. Nous mettons une annonce dans le journal avec promesse d'une forte

_____ .

7. Les parents de Patrick sont très laxistes, _____ les parents de

Philippe sont plutôt stricts.

8. Pendant mon absence, mon cousin architecte a laissé la direction de son agence à son

_____ .

9. Bernadette a mis des _____ partout sur sa voiture.

10. Denise attrape des livres _____ sur l'étagère et les met dans sa

musette.

VII. **Traduction.**

1. She spends her time reading. _____

_____

2. You forgot to write. _____

_____

3. Instead of crying, work. _____

_____

4. After he went up the Eiffel Tower, he refused to come down. _____

_____

5. Before doing your homework, study your lesson. _____

_____

6. Without looking at me, he left. _____

_____

VIII. Contrastes. Comparez les deux chambres, la chambre de Prunelle et la chambre de Marion. Imaginez les goûts et les habitudes de ces deux jeunes filles.

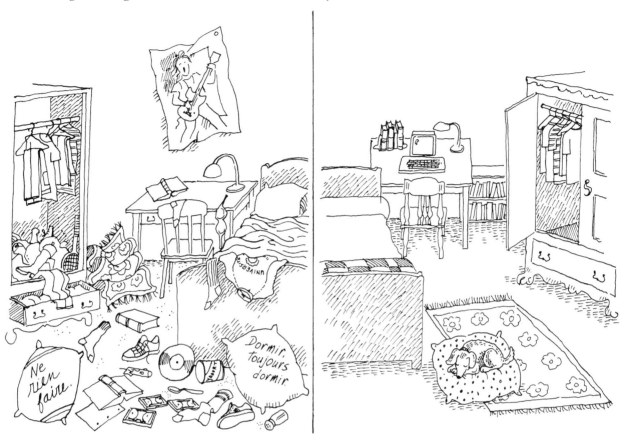

la chaussette • les baskets • dépareillé (*unmatched*) • le tiroir • les affaires •
un micro-ordinateur • ranger • l'armoire • la salière • la bougie •
la mention (*inscription*) • suspendre • la bibliothèque (*bookcase*) • plier •
avoir l'esprit clair • le coussin • le désordre • ramasser • le tapis •
une étagère (*shelf*)

_____

_____

_____

_____

_____

_____

_____

_____

_____

_____

_____

_____

Chapitre **14**

Le futur

Première partie: exercices oraux

Faites ces exercices au laboratoire, sans cahier. Ecoutez le speaker, répondez aux questions, faites les transformations.

Deuxième partie: exercices oraux / écrits

Faites le travail de cette partie au laboratoire, avec votre cahier.

I.   Prononciation.

1.   **E** muet au commencement d'un mot ou d'un groupe de mots.   **E** est généralement prononcé.

Demain, nous partirons. Regarde.

2.   **E** muet à l'intérieur d'un mot.   **E** muet n'est pas prononcé entre deux consonnes.

samédi	(2 consonnes: **m-d**)
madémoiselle	(2 consonnes: **d-m**)

E est prononcé si on a plus de deux consonnes.

vendredi	(3 consonnes: **dr-d**)
probablement	(3 consonnes: **bl-m**)

3.   **E** muet dans un groupe de mots.   **E** tombe entre deux consonnes, et reste si on a plus de deux consonnes.

Contrastez:

pas dé pain	/dp/	les pommes de terre /mdət/
trop dé sucre	/ds/	pour le chat /ʀləʃ/
tout lé temps	/lt/	avec de l'argent /kdəl/

4. **E** muet au futur. **E** tombe entre deux consonnes, et reste si on a plus de deux consonnes.

Contrastez:

j'aim<u>e</u>rai /mʀ/	je montr<u>e</u>rai /tʀəʀ/
tu donn<u>e</u>ras /nʀ/	vous rentr<u>e</u>rez /tʀəʀ/
vous s<u>e</u>rez /sʀ/	ils f<u>e</u>ront /lfəʀ/

EXERCICE. Décidez si le **e** muet tombe ou s'il ne tombe pas dans les mots et les groupes suivants. Le speaker vous donne la réponse. Répétez après le speaker.

	OUI	NON
j'ai le temps	_____	_____
il arrivera	_____	_____
un appartement	_____	_____
généralement	_____	_____
vous ferez	_____	_____
source de malentendus	_____	_____
rapidement	_____	_____
montrera	_____	_____
m'appellera	_____	_____
un port de pêche	_____	_____
du coin de l'œil	_____	_____
donneront	_____	_____

5. Le son /ʀʀ/. Certain futurs qui ont deux **r** dans leur orthographe, ou parce qu'un **e** muet tombe dans la prononciation, contiennent la géminée **rr**. On prononce comme un /ʀ/ un peu plus fort.

Contrastez:

/ʀ/	/ʀʀ/
je courais	je courrai
tu mourais	tu mourras
il éclaira	il éclair<u>e</u>ra
vous serrez	vous serr<u>e</u>rez

6. Le group **-ess.** **Ess** se prononce /ɛs/ dans certains mots.

essence	messe
essentiel	cesse
fesse	

Ess se prononce /əs/ dans certains mots.

ressembler	dessous
resserrer	dessus

7. Mots difficiles.

accrocherons	niais
alliances	qu'on en a
éclabousseras	on se rencontrera

112

II. Dictée de sons. Le speaker prononce un mot. Vous choisissez et vous encerclez (*circle*) le mot que vous entendez. Le speaker vous donne la réponse.

	(1)	(2)	(3)
1.	guerre	gare	gars
2.	l'ennui	la nuit	la nouille
3.	l'œil	l'ail	La Haye
4.	le ton	le temps	l'attend
5.	âme	armes	homme
6.	Provence	Province	Provins

III. Poème. Le speaker lit le poème. Ecoutez le poème lu en entier, ensuite répétez après le speaker.

La cigale et la fourmi

La cigale ayant chanté
    Tout l'été,
Se trouva fort dépourvue
Quand la bise fut venue:
Pas un seul petit morceau
De mouche ou de vermisseau.
Elle alla crier famine
Chez la fourmi sa voisine
La priant de lui prêter
Quelque grain, pour subsister
Jusqu'à la saison nouvelle.
«Je vous paierai, lui dit-elle.
Avant l'août, foi d'animal.
Intérêt et principal.»
La fourmi n'est pas prêteuse:
C'est là son moindre défaut.
«Que faisiez-vous au temps chaud?
Dit-elle à cette emprunteuse.
—Nuit et jour à tout venant,
Je chantais, ne vous déplaise.
—Vous chantiez? J'en suis fort aise:
Eh bien! Dansez, maintenant!»

Jean de La Fontaine

la cigale *cicada*   **la fourmi** *ant*   **dépourvue** *deprived (of food)*   **la bise** *cold wind*   **la mouche** *fly*   **le vermisseau** *worm*   **crier famine** *to cry for food*   **subsister** *to survive*   **foi d'animal: foi d'homme** = *word of a gentleman*   **prêteuse** *inclined to lend things*   **emprunteuse** *borrower*   **à tout venant** *at each occasion*   **ne vous déplaise** *if you don't mind*   **J'en suis fort aise** *I'm delighted*

II. **Compréhension.   Une vie impossible.**   Avant de commencer, lisez le vocabulaire qui précède l'exercice. Ecoutez le dialogue suivant, qui sera lu deux fois. Ensuite, arrêtez la machine, et écrivez les réponses aux questions ci-dessous. Puis écoutez les réponses correctes.

> **une affiche**   poster
> **s'engager**   to enlist
> **être bien attrapé**   to be had

1. Qu'est-ce qu'Alain fera quand il aura fini ses devoirs? _____
    _____

2. Quel projet est-ce qu'Alain a fait avec son ami Philippe? _____
    _____

3. Qu'est-ce qu'Alain fera pour sa mère, quand il aura une minute? _____
    _____

4. Où est-ce qu'il prendra du pain? _____
    _____

5. Pourquoi est-ce qu'Alain n'a pas envie de faire toutes ces corvées pour son père et sa mère?
    _____
    _____

6. De quoi est-ce qu'Alain a assez? _____
    _____

7. Que dit l'affiche qu'Alain a vue à la poste? _____
    _____

8. Que va faire Alain? _____
    _____

9. Croyez-vous qu'Alain sera plus libre dans l'armée? Qui sera bien attrapé, Alain ou ses parents?
    _____
    _____

Troisième partie: exercices écrits

I. **Formes du futur et du futur antérieur.**   Mettez les verbes suivants au futur, puis au futur antérieur.

> MODÈLE: vous **dansez**   *vous **danserez***   *vous **aurez dansé***

1. ils viennent   _____   _____
2. tu réponds   _____   _____
3. elle montre   _____   _____
4. j'entre   _____   _____
5. nous dormons   _____   _____

6. c'est _____ _____

7. ils se regardent _____ _____

8. vous venez _____ _____

9. il va _____ _____

10. j'envoie _____ _____

11. nous ne savons pas _____ _____

12. tu veux _____ _____

13. elles écrivent _____ _____

14. vous pouvez _____ _____

II. **Emploi du futur.** Ecrivez les phrases suivantes au futur.

> MODÈLE: Quand il **part,** je **pleure.**
> *Quand il **partira,** je **pleurerai.***

1. Quand le peuple n'est pas content, il fait la révolution. _____

   _____

2. Il faut dire bonjour, quand le professeur entre. _____

   _____

3. Tu vois ce qui se passe? _____

   _____

4. Elles viennent dimanche. _____

   _____

5. Il s'assoit dans l'herbe et il s'endort. _____

   _____

6. Quand tu vois un coucher de soleil, est-ce que cela te fait plaisir? _____

   _____

III. **Formes et emploi du futur.** Mettez les verbes indiqués au temps qui convient dans le texte suivant.

cueillir	se lever	il faut
cultiver	avoir	vouloir
prendre	pouvoir	faire
se mettre	être	finir
courir	ça vaut	manger
aller	mourir	

Un professeur pense à la retraite. Il se dit: «Quand je _____ à la retraite, je

_____ enfin me reposer. Je n' _____ pas besoin de me

dépêcher; je _____ tard le matin, je n' _____ plus faire mes

cours; je ne _____ plus pour attraper l'autobus. Je ne _____

115

plus en colère contre les élèves. Je _____ mon temps; je _____

mon jardin; je _____ mes roses et je _____ mes fraises.

Et puis quand mes enfants _____ leurs études, j' _____

de l'argent pour voyager, si je ne _____ pas malade bien entendu. Je

_____ ce que je _____ . Bien sûr, _____

penser à la mort; je _____ un jour, comme tout le monde. Mais en attendant,

_____ la peine. Vivement la retraite! (*May retirement come soon!*)»

IV. **Voyage autour du monde.** Faites des phrases au futur avec un groupe de la colonne de gauche et un groupe de la colonne de droite. Attention! Choisissez bien!

MODÈLE: (Quand nous) aller à Paris   voir la Tour Eiffel

*Quand nous **irons** à Paris, nous **verrons** la Tour Eiffel.*

1. (Quand je) aller en Chine	a. écouter des guitaristes flamencos
2. (Si tu) faire un voyage à Venise	b. manger de la bouillabaisse
3. (Quand tu) passer un mois à Hollywood	c. grimper sur la grande muraille
4. (Si tu) visiter l'Andalousie	d. voir des plaines immenses et vides
5. (Si vous) traverser la Sibérie	e. passer sous le pont du Rialto
6. (Quand tu) faire un séjour dans le Midi	f. danser sur la Place Rouge
7. (Si elle) aller à Moscou	g. admirer le spectacle du Studio Universal

1. _____

_____

2. _____

_____

3. _____

_____

4. _____

_____

5. _____

_____

6. _____

_____

7. _____

_____

V. Concordance des temps. Transformez les phrases suivantes. Changez les temps des verbes selon la concordance des temps avec **quand** et d'autres expressions de temps.

> MODÈLE: Quand je (gagner) de l'argent, je le (mettre) à la banque.
>
> *Quand j'**ai gagné** de l'argent, je le **mets** à la banque.*
>
> *Quand j'**avais gagné** de l'argent, je le **mettais** à la banque.*
>
> *Quand j'**aurai gagné** de l'argent, je le **mettrai** à la banque.*

1. Lorsque le professeur (expliquer) la question pour la vingtième fois, les étudiants (comprendre) enfin. _____

   _____

   _____

   _____

2. Dès que les enfants (rentrer) de l'école, la maman (servir) le dîner. _____

   _____

   _____

   _____

3. Après que l'orateur (terminer) son discours, le public (applaudir). _____

   _____

   _____

   _____

4. Aussitôt qu'elle (apprendre) la nouvelle, elle (se mettre) à pleurer. _____

   _____

   _____

   _____

VI. Rêves d'avenir. Finissez les phrases avec des verbes au futur.

1. Si je gagne à la loterie, _____

   _____

2. Si tu réussis à ton examen, _____

   _____

3. Si son père lui prête son ordinateur, _____

   _____

4. Si vous trouvez du travail cet été, _____

   _____

5. Si je rencontre l'âme-sœur (*my soul mate*), _____

   _____

VII. Vocabulaire. Complétez les phrases suivantes avec un des mots de la liste suivante.

une alliance	la lune de miel	rompre
cracher	un pont	n'importe où
épargner	se disputer	accrocher
la voile	le coup de foudre	l'espérance

1. Pour décorer ma maison, j' _____ des posters partout.

2. Les deux amoureux se _____ et se sont séparés.

3. Pendant la Deuxième Guerre mondiale, peu de personnes en Europe ont été

   _____ .

4. Cette jeune femme est sûrement mariée: elle porte une _____ à la main

   gauche.

5. Ils se sont regardés et ils se sont aimés aussitôt: c'était le _____ .

6. Pouah! Ce fruit n'est pas mûr! —Eh bien, _____ le.

7. J'ai envie de partir à l'aventure, d'aller ailleurs, _____ .

8. A Paris, il y a plusieurs _____ qui permettent de traverser la Seine.

VIII. Traduction.

1. They will leave in ten minutes. _____

   _____

2. It will do the job. _____

   _____

3. Television entertains us. _____

   _____

4. The computer will ask questions. _____

   _____

5. Will you do my homework? _____

   _____

IX. Projets d'avenir.   Regardez le dessin suivant. Décrivez les actions, les pensées des personnes représentées. Imaginez leur conversation. Vous pouvez utiliser le vocabulaire suggéré.

rêver à • famille nombreuse • animal familier (*pet*) • épouser • partager (*to share*) • tricoter (*to knit*) • peindre (*to paint*) • la musique • au moins • la mer • la montagne

_____

_____

_____

_____

_____

_____

_____

_____

_____

_____

_____

_____

_____

Le conditionnel

Première partie: exercices oraux

Faites ces exercices au laboratoire, sans cahier. Ecoutez le speaker, répondez aux questions, faites les transformations et les traductions.

Deuxième partie: exercices oraux / écrits

Faites le travail de cette partie au laboratoire, avec votre cahier.

I. Prononciation.

1. Le **-c** final   Généralement on prononce **-c** à la fin d'un mot.

sec	duc
chic	en vrac
lac	sac
roc	

   Le **-c** final n'est pas prononcé dans les mots suivants.

tabac	blanc
estomac	franc
banc	tronc

2. Le **-f** final.   Généralement on prononce **-f** à la fin d'un mot.

chef	œuf
chef-lieu	bœuf
neuf	serf
vif	

   Exceptions: Le **-f** est prononcé **-v** en liaison dans les deux expressions: **neuf heures** et **neuf ans.**

   Le **-f** final n'est pas prononcé dans les mots suivants.

clef	œufs
chef-d'œuvre	bœufs
Neufchâteau	cerf-volant (*kite*)
nerf	

3. **Le -s final.** Le **-s** final est généralement muet (sauf en liaison; voir page 161). Le **-s** final est prononcé dans quelques mots.

    a. **-as** /ɑs/.
        as (*ace*)   vasistas (*small window over a door*)
        hélas   Texas

    b. **-es** /ɛs/.

        Agnès   licence ès lettres

        Attention: express

    c. **-eps** /ɛps/.

        biceps   forceps

    d. **-is** /is/.

        bis   tennis
        fils   vis (*screw*)
        maïs   Tunis
        oasis

    e. **-os** /os/.

        albatros   Eros
        albinos   Calvados

    f. **-us** /ys/.

        autobus   Vénus
        terminus campus

    g. **-ens** /ɑ̃s/.

        sens

    h. Autres finales en **-s.**

        Le mot **ours** (*bear*) se prononce /uʀs/.
        Les noms **Reims** se prononce /ʀɛ̃s/.
                Saint-Saëns se prononce /sɛ̃sɑ̃s/.
                Rubens se prononce /ʀybɛ̃s/.
        Le mot **os** (*bone*) se prononce /ɔs/ au singulier et
                               /o/ au pluriel.
        Le mot **mas** (*a farm in Provence*) se prononce /mɑs/ ou /mɑ/.

4. **La lettre t.** L'orthographe **t** se prononce /t/. L'orthographe **th** se prononce /t/.

    athée   théâtre

    a. Le **-t** final est généralement muet.

        tout   aspect   respect

    b. Le **-t** final est prononcé dans les mots suivants.

        est   dot
        ouest   net
        sept   zut
        huit   Proust
        brut   Brest
        chut

c. Dans les mots suivants on a le choix.

un but (*purpose*) /byt/ ou /by/   août (*August*) /ut/ ou /u/
un fait (*fact*) /fɛt/ ou /fɛ/

d. Notez la prononciation de

asthme /asm/   isthme /ism/

e. Le **t** intérieur est généralement muet dans les composés de **Mont-**.

Mon̸tmartre   Mon̸tréal

5. Mots difficiles.

Maxime Le Forestier	coups de matraque
école buissonnière	montrerais
faux-bond	s'éloigner

6. Prononciation des conditionnels.   La différence entre le futur **j'irai** et le conditionnel **j'irais** est très faible. **J'irai** et toutes les 1ères personnes du singulier du futur sont prononcées avec un **e** fermé /e/ très proche d'un **-i**. **J'irais** et tous les conditionnels en **-ais, -ait, -aient** sont prononcés avec un **e** ouvert /ɛ/. Dans la conversation, la différence ne s'entend pas. C'est le contexte qui indique si on a un futur (*I shall go*) ou un conditionnel (*I would go*). Le conditionnel est accompagné d'une proposition avec **si**.
   A la 1ère et à la 2ème personne du pluriel, on a les groupes **-rions** /ʀjɔ̃/ et **-riez** /ʀje/ pour tous les verbes.

j'irai	j'irais
nous irions	vous iriez
nous ferions	vous feriez
nous serions	vous seriez
nous parlerions	vous parleriez

II. **Dictée de sons.**   Le speaker prononce un mot. Vous choisissez et vous encerclez (*circle*) le mot que vous entendez. Le speaker vous donne la réponse.

	(1)	(2)	(3)
1.	sens	sans	cents
2.	n'est	naît	net
3.	reins	Reims	rênes
4.	c'est rien	serions	sérieux
5.	mince	messe	mas
6.	hausse	os	ose

III. **Dictée.**   Le speaker lit la dictée deux fois. La première fois, vous écoutez. La deuxième fois, écrivez!

_____

_____

_____

_____

123

_____

_____

_____

_____

_____

_____

IV. **Compréhension.** **La sœur jumelle.** Avant de commencer, lisez le vocabulaire qui précède l'exercice. Ecoutez l'histoire suivante, qui sera lue deux fois. Ensuite, arrêtez la machine, et écrivez les réponses aux questions ci-dessous. Puis écoutez les réponses correctes.

la corvée ménagère   household chore   **la fée**   fairy

1. Pourquoi est-ce que Catherine s'ennuie? _____

_____

2. Qu'est-ce que Catherine voudrait avoir? _____

_____

3. Qu'est-ce que la sœur jumelle ferait, à la place de Catherine? _____

_____

4. Est-ce que d'autres personnes verraient Joséphine? _____

_____

5. Qui réalise le rêve de Catherine? _____

_____

6. Est-ce que Joséphine va à l'école à la place de sa sœur? _____

_____

7. Pourquoi est-ce que Catherine est punie? _____

_____

8. Pourquoi est-ce que Catherine a du chagrin? _____

_____

9. Qu'est-ce que Catherine n'aurait pas fait, si elle avait su? _____

_____

10. Comment se termine l'histoire? _____

_____

Troisième partie: exercices écrits

I. Ecrivez les verbes suivants au conditionnel présent et au conditionnel passé.

Modèle: nous **prenons**   _nous **prendrions**_   _nous **aurions pris**_

1. vous entendez   _____   _____

2. tu vas   _____   _____

3. nous sommes   _____   _____

4. ils viennent   _____   _____

5. je montre   _____   _____

6. ils applaudissent   _____   _____

7. je ne peux pas   _____   _____

II. Dans le paragraphe suivant, mettez les verbes au temps convenable: imparfait et conditionnel présent.

Un jeune homme rêve: «Si un jour je (pouvoir) _____ réaliser mon rêve,

je (créer) _____ une communauté. Chacun (travailler) _____

dans sa spécialité et (produire) _____ quelque chose pour l'usage de tous.

(Il y a) _____ ceux qui (cultiver) _____ la terre;

ceux qui (fabriquer) _____ des vêtements, des chaussures, des objets d'art;

d'autres (aller) _____ vendre à la ville les produits de la communauté et avec

l'argent (acheter) _____ ce qu'on ne (pouvoir) _____ pas

fabriquer. Nos besoins (être) _____ simples et nous (se contenter)

_____ de peu.»

—Et toi, qu'est-ce que tu (faire) _____ ?

—Moi, je (diriger) _____ , je (commander) _____ .

III. Dans le paragraphe suivant, mettez les verbes au temps convenable: le plus-que-parfait ou le conditionnel passé.

Un homme d'affaires, à la fin de sa carrière, rêve: «Si je (savoir) _____

_____ , au lieu de devenir un homme d'affaires, je (devoir) _____

_____ choisir une carrière artistique. Je (ne pas avoir besoin) _____

_____ de tant travailler. Je (pouvoir) _____

rêver, me lever tard. Je (faire) _____ des peintures magnifiques que je

(vendre) _____ quand (il me faut) _____ de

l'argent pour vivre. Si je (choisis) _____ la vie d'artiste, je (ne pas avoir)

_____ de tension (*high blood pressure*) maintenant. Ce (être)

_____ merveilleux de vivre comme cela.»

IV. Mettez la forme qui convient du conditionnel présent ou du conditionnel passé du verbe **devoir** (forme positive ou forme négative).

1. Tu as raté ton examen? Tu _____ étudier davantage, tu _____

_____ regarder la télé tous les soirs, tu _____ te coucher

plus tôt la veille.

2. Vous êtes trop grosse, madame, vous _____ faire de la gymnastique,

vous _____ suivre un régime, vous _____ manger tant

de pain et tant de pommes de terre.

V. Certaines conséquences auraient pu être évitées, si les personnes suivantes avaient fait certaines choses. Combinez les groupes de la colonne de gauche avec un groupe de la colonne de droite suivant le modèle.

MODÈLE: Patrick a déchiré son jean   il est allé au supermarché
pour en acheter un autre.

*Si Patrick **avait déchiré** son jean, il **serait allé** au supermarché pour en acheter un autre.*

1. Gabrielle et sa mère ont eu des amis à Montréal

a. il l'a épousée.

2. Vous avez été à la place de Prunelle

b. il est allé chez le coiffeur.

3. Marius a su que Fanny était enceinte

c. elle n'a pas souhaité avoir des jambes.

4. Daniel a eu les cheveux longs

d. vous avez dit merci à la femme de ménage?

5. La petite sirène n'est pas tombée amoureuse du prince

e. elles n'ont pas rendu visite au vieux cousin.

1. _____
_____

2. _____
_____

3. _____
_____

4. _____
_____

5. _____
_____

VI. Vocabulaire. Complétez les phrases suivantes avec un des mots de la liste.

conseiller   se battre   se fabriquer
agiter   se révolter   faire l'école buissonnière
argot   jumeaux   Qu'est-ce que tu fabriques?
célibataire   solitaire   Où veux-tu aller?
beaux-frères

1. Quand on parle _____ on dit «bouquin» au lieu de «livre», «bosser» au lieu

de «travailler», «un flic» au lieu de «un agent de police», etc.

2. Le vent _____ joyeusement les drapeaux, le jour du 14 juillet.

126

3. Michel et François se ressemblent comme deux gouttes d'eau. Bien sûr! Ils sont

_____ .

4. Beaucoup de gens à notre époque ne se marient pas et préfèrent rester

_____ plutôt que de fonder une famille.

5. Après mon accident j'ai consulté un avocat et il m'a _____ de faire un

procès.

6. Pauline a décidé de faire un gâteau. Elle a tout sorti du frigo et des placards. Sa mère est

entrée dans la cuisine et a dit « _____ ?»

7. Je connais un jeune couple qui cherche des occasions de _____ pour avoir

le plaisir de se réconcilier.

8. La roi de ce pays d'Afrique était un tyran. Le peuple _____ pour obtenir

un régime plus démocratique.

VII. Traduction.

1. How about going out tonight? _____

_____

2. He could not do it. _____

_____

3. Would you please shut the door? _____

_____

4. You should eat. _____

_____

5. You should have eaten. _____

_____

6. If I had known. _____

_____

7. I would have come. _____

_____

VIII. L'école buissonnière. Regardez le dessin suivant. Décrivez la scène et imaginez les actions, les conversations, les pensées des personnes représentées. Vous pouvez utiliser le vocabulaire suggéré.

partager • inquiète • les jumeaux • une manifestation • une pancarte • un slogan • s'éloigner • faire l'école buissonnière • une chanson • composer • solitaire • la poubelle (*trash can*)

_____

_____

_____

_____

_____

_____

_____

_____

_____

_____

_____

_____

_____

Chapitre **16**

Le subjonctif

Première partie: exercices oraux

Faites ces exercices au laboratoire, sans cahier. Ecoutez le speaker, répondez aux questions, faites les transformations.

Deuxième partie: exercices oraux / écrits

Faites le travail de cette partie au laboratoire, avec votre cahier.

I. Prononciation.

1. Le son /y/. Le son /y/ est écrit **u.** Arrondissez et projetez les lèvres comme pour prononcer **ou** /u/. Avec les lèvres dans cette position, essayez de prononcer un /i/. Le résultat est /y/.

tu	sûre
fumes	mur
lune	prune

2. Contrastez:

/i/	/y/	/u/
si	su	sous
ti	tu	tout
lit	lu	loup
mi	mu	mou
fit	fut	fou

3. Les orthographes **ui** et **oui.** Le groupe **ui** /ɥi/ est prononcé à partir de **u** /y/. Le groupe **oui** /wi/ est prononcé à partir de **ou** /u/.

   Contrastez:

/ɥi/	/wi/
lui	Louis
enfui	enfoui
nuit	inouï

4. **Les orthographes ué et oué.** Il y a la même différence entre ces groupes qu'entre **ui** et **oui**. Pour **ué** /ɥe/ on part de **u** /y/. Pour **oué** /we/, on part de **ou** /u/.

Contrastez:

/ɥe/	/we/
suer	souhait
buée	bouée
tué	troué
ruelle	rouelle

Répétez en contrastant:

lueur	loueur
tua	troua

5. Prononciation des subjonctifs.

a. /ɛ/.

que j'aie	qu'il ait
que tu aies	qu'ils aient

Attention: que vous ayez /eje/

b. /aj/.

que j'aille	qu'ils aillent
que tu ailles	de l'ail (*garlic*)
qu'il aille	

Attention: que vous alliez /alje/

c. /wajj/.

croyions	croyiez
voyions	voyiez

6. Mots difficiles.

cueillir	rejoigne
clown	asthme
seringue	éther
s'éparpillent	interview
humour	humeur

II. **Dictée de sons.**   Le speaker prononce un mot. Vous choisissez et vous encerclez (*circle*) le mot que vous entendez. Le speaker vous donne la réponse.

	(1)	(2)	(3)
1.	ayez	alliez	aille
2.	aile	aille	aient
3.	bruit	brouille	buis
4.	souhait	souille	suer
5.	buée	bouée	boue

III.   Dictée.   Le speaker lit la dictée deux fois. La première fois, vous écoutez. La deuxième fois, écrivez!

_____
_____
_____
_____
_____
_____
_____
_____
_____
_____
_____
_____
_____
_____
_____

IV.   Compréhension.   La perruche malade.   Ecoutez le dialogue suivant, qui sera lu deux fois. Ensuite, arrêtez la machine, et écrivez les réponses aux questions ci-dessous. Puis écoutez les réponses correctes.

1.   De quoi est-ce que Christian a peur? _____
_____

2.   Pourquoi Régine veut-elle emmener sa perruche chez le docteur Guéritout? _____
_____

3.   Pourquoi est-ce que Christian doute qu'une visite chez le vétérinaire soit nécessaire? _____
_____

4.   Est-il fréquent qu'une perruche vive plus de dix ans? _____
_____

5.   Qu'est-ce qui est arrivé à Sophie pendant que Régine et Christian se disputaient? _____
_____

6.   Que suggère Christian pour consoler Régine? _____
_____

7.   Où faut-il qu'ils enterrent la perruche? _____
_____

8.   Quel remède est-ce que Christian propose à Régine pour lui faire oublier son chagrin? _____
_____

Troisième partie: exercices écrits

I. Formes du subjonctif présent et passé. Donnez le présent et le passé du subjonctif des verbes suivants.

Modèle: j'entends *que j'entende* *que j'aie entendu*

1. tu viens _____ _____
2. vous allez _____ _____
3. nous parlons _____ _____
4. il finit _____ _____
5. je peux _____ _____
6. elle sait _____ _____
7. nous voulons _____ _____
8. ils prennent _____ _____
9. je fais _____ _____
10. tu arrives _____ _____
11. elle a _____ _____
12. nous sommes _____ _____
13. il pleut _____ _____
14. vous choisissez _____ _____
15. ils vendent _____ _____

II. Emploi de l'indicatif ou du subjonctif. Récrivez les phrases suivantes avec le verbe suggéré.

1. Il arrivera à l'heure.

   (j'espère) _____

   (je doute) _____

2. Vous vous couchez tard.

   (elle ne veut pas) _____

   (nous pensons) _____

3. Ses parents la laisseront vivre seule à 18 ans.

   (il est probable) _____

   (il est possible) _____

4. Les étudiants font des phrases magnifiques.

   (le professeur adore) _____

   (le professeur croit) _____

5. Nous ne pouvons pas sortir ce soir.

   (c'est dommage) _____

   (c'est évident) _____

6. Vous êtes venus à notre soirée par obligation.

   (j'ai l'impression) _____

   (je suis désolé) _____

III. **Emploi du subjonctif passé.** Combinez les groupes suivants en une seule phrase.

MODÈLE: Je suis contente / **vous avez fini** de vous plaindre.

*Je suis contente **que vous ayez fini** de vous plaindre.*

1. Il est possible / il s'est trompé d'adresse. _____

   _____

2. Je doute / elle a oublié. _____

   _____

3. Attendez / nous avons terminé. _____

   _____

4. C'est dommage / ils ont divorcé. _____

   _____

5. Elle regrette / vous êtes parti sans l'attendre. _____

   _____

6. Le professeur exige / nous écrivons nos rédactions au stylo. _____

   _____

IV. **Le subjonctif avec des conjonctions.** Complétez les phrases suivantes.

1. Bien qu'elle (avoir) _____ un emploi absorbant, elle a le temps d'écrire des

   poèmes.

2. Nous sortirons à moins qu'il (faire froid). _____

3. Ils ont couru jusqu'à ce qu'ils (ne pouvoir) _____ plus respirer.

4. La vedette se cache de peur qu'on l'(interviewer) _____ .

5. Ils sont partis sans qu'on les (voir) _____ .

6. Il travaille avant que le dîner (être) _____ prêt.

V. **Vocabulaire.** Dans les phrases suivantes, mettez le mot qui convient dans l'espace vide.
Choisissez un mot de cette liste.

la loge	renoncer à	un terrain
la caisse	mentir	une interview
la douceur	l'humour	songer à
l'humeur	renoncer	faire une piqûre
se droguer	la terre	la désapprobation
s'occuper	s'emparer	faire une prière

1. Si vous ne dites pas la vérité, vous _____ .

2. Beaucoup de jeunes gens _____ à la marijuana, à la cocaïne.

3. Ils cherchent _____ pour faire construire une maison.

4. Nous n'avons pas assez d'argent pour aller en Australie cet été; il faut _____ _____ ce voyage.

5. Ce chien n'a pas bon caractère. Il semble toujours de mauvaise _____ _____ .

6. L'artiste se maquille et s'habille dans sa _____ .

7. Si je fais quelque chose de mal, mes parents me regardent avec _____ _____ .

8. Je suis entré dans la chapelle et _____ à l'intention de mon professeur qui est malade.

9. Cet artiste répond toujours avec _____ aux questions indiscrètes des reporters.

10. Quand j'ai eu une pneumonie, on m'a _____ de pénicilline.

VI. Traduction.

1. What do you want me to do? _____ _____

2. I have to go to my dressing room. _____ _____

3. Wherever he is, he faints. _____ _____

4. I am hurt that you did not say anything. _____ _____

5. You don't take me seriously. _____ _____

VII. **Dans le couloir du métro.** Regardez le dessin suivant. Décrivez les actions, les pensées et les conversations des personnes représentées. Vous pouvez utiliser le vocabulaire suggéré.

un aveugle • guider • une canne blanche • faire des grimaces • se répandre • la boîte de peinture • les larmes • couler • une voiture d'enfant • une affiche • immobilière • vente de terrain • faire un emprunt à la banque • être pressé • le singe

_____

_____

_____

_____

_____

_____

_____

_____

_____

_____

_____

_____

_____

Chapitre **17**

Le possessif

Première partie: exercices oraux

Faites ces exercices au laboratoire, sans cahier. Ecoutez le speaker, répondez aux questions, faites les transformations.

Deuxième partie: exercices oraux / écrits

Faites le travail de cette partie au laboratoire, avec votre cahier.

I. Prononciation.

1. Le **a** antérieur se prononce /a/. La plus grande partie des **a** sont antérieurs. Le **a** est prononcé très ouvert. Il est proche de /ɛ/.

   Madame   animal   radical

   Les orthographes **em, en, el** représentent le son /a/ dans les mots suivants.

femme	évidemment[1]
poêle (f. frying pan; m. stove)	patiemment
moelle (marrow)	ardemment
solennel	

2. Le **a** postérieur (prononcé /ɑ/) est rare. Il est prononcé dans la partie arrière de la bouche. Il est proche de /ɔ/. On le remarque dans des mots parallèles à des mots en **a** antérieur.

   a. Contrastez:

/a/		/ɑ/	
Anne		âne	(donkey)
patte	(paw)	pâte	(paste, noodle)
tache	(spot)	tâche	(duty)
halle	(market)	hâle	(suntan)
balle	(ball)	Bâle	(Basel)
malle	(trunk)	mâle	(male)
matin	(morning)	mâtin	(mastif)
chasse	(hunt)	châsse	(shrine)

[1]tous les adverbes en **-emment**

137

b. On entend **a** postérieur dans des mots isolées.

pas	(*m. step;* ou la négation)	fable	
passe		rare	
diable	(*devil*)		
sable	(*sand*)		

3. Contrastez:

/ə/	/a/
il le dit	il l'a dit
il le fait	il l'a fait
il le voit	il la voit
il le prend	il la prend

4. Contrastez:

/a/	/ɛ/
mal	mêle
balle	belle
salle	celle
parle	perle
vaste	veste

5. Contrastez:

/a/	/ɔ/
malle	molle
bal	bol
dague	dogue
tard	tord

6. Contrastez:

/a/	/œ/
car	cœur
salle	seule
Jeanne	jeune
part	peur
Sarre	sœur

7. Mots difficiles.

Martin-Leduc	il suait à grosses gouttes
Yves La Madière	entrebaillées
une bonbonnière	la corbeille de la mariée
une miniature	un boîte de cuir rouge

II. **Dictée de sons.** Le speaker prononce un mot. Vous choisissez et vous encerclez (*circle*) le mot que vous entendez. Le speaker vous donne la réponse.

	(1)	(2)	(3)
1.	balle	Bâle	belle
2.	il la prend	il le prend	il l'apprend
3.	gêne	Jean	Jeanne
4.	molle	malle	mâle

III. **Poème.** Le speaker lit le poème. Ecoutez le poème, lu en entier, puis répétez après chaque pause.

Dualisme

Chérie, explique-moi pourquoi
tu dis: «MON piano, MES roses»,

et «TES livres, TON chien» . . . pourquoi
je t'entends déclarer parfois:
«c'est avec MON argent A MOI
que je veux acheter ces choses.»

Ce qui m'appartient t'appartient!
Pourquoi ces mots qui nous opposent:
le tien, le mien, le mien, le tien?
Si tu m'aimais tout à fait bien,
tu dirais: «LES livres, LE chien»,
et «NOS roses.»

Paul Géraldy*

*Extrait de Paul Géraldy: *Toi et moi,* reproduit avec la permission des Editions Stock.

IV. **Compréhension.** **Une bonne leçon.** Avant de commencer, lisez le vocabulaire qui précède l'exercice. Ecoutez le dialogue suivant, qui sera lu deux fois. Ensuite, arrêtez la machine, et écrivez les réponses aux questions ci-dessous. Puis écoutez les réponses correctes.

soigneuse careful
abîmé in bad condition, ruined
Ce que tu es chou! What an angel you are!

1. Qu'est-ce que Monique demande à sa sœur, pour son weekend de ski? _____

_____

2. Est-ce que Monique est très soigneuse? _____

_____

3. Dans quel état est-ce que Monique a rendu les objets qu'elle avait empruntés? _____

_____

4. Qu'est-ce que Monique promet à sa sœur, si elle lui prête ses affaires? _____

_____

5. Pouvez-vous nommer quelques-uns des objets dont Monique a besoin? _____

_____

6. Pourquoi est-ce que Chantal n'est pas tranquille de prêter ces objets à sa sœur? _____

_____

7. Qu'est-ce que Chantal demande à sa sœur de lui prêter, en échange? _____

_____

8. Qui va aller faire du ski? _____

_____

Troisième partie: exercices écrits

I. Formes de l'adjectif possessif. Mettez l'adjectif possessif qui correspond au sujet du verbe.

1. Marie n'aime pas penser à _____ anniversaire.
2. Je m'occupe toujours de _____ affaires.
3. Elles gagnent bien _____ vie.
4. Nous n'avons pas amené _____ chien.
5. Tu me donneras _____ adresse.
6. Philippe est fou de _____ femme.
7. Cette ville est très belle: _____ jardins et _____ cathédrale du XIIème siècle sont magnifiques.

II. Le pronom possessif. Remplacez les expressions entre parenthèses dans la conversation suivante par un pronom possessif.

> Modèle: Elle parle de ses problèmes et lui (de ses problèmes).
> *Elle parle de ses problèmes et lui **des siens**.*

—Voyons, dit Jacques. Tu ne m'écoutes pas. Je te raconte mes difficultés et tu ne penses qu'(à tes difficultés) _____ . Quel égoïsme! Tu pourrais quand même de temps en temps oublier tes soucis et écouter (mes soucis) _____ .

—Pas du tout, dit Jacqueline, c'est toi qui ne t'intéresses qu'à tes ennuis et jamais (à mes ennuis) _____ .

—Nous n'en sortirons pas, dit Jacques. Allons voir un conseiller familial. Nous lui parlerons de tes problèmes et (de mes problèmes) _____ . J'en connais un excellent. Georges et Georgette lui ont confié (leurs problèmes) _____ .

—Je ne suis pas d'accord, dit Jacqueline. Ton cas et (mon cas) _____ sont très différents. Nous ne pourrons jamais nous réconcilier. D'ailleurs ma famille et (ta famille) _____ se sont toujours disputées.

—Eh bien, divorçons. Tu referas très bien ta vie et moi (ma vie) _____ .

—Comment? Jamais! J'aime trop nos disputes.

III. L'adjectif possessif, l'article et les parties du corps. Dans les phrases suivantes, remplacez les tirets par un article ou un adjectif possessif.

> Modèle: Il a mis _____ main dans _____ poche.
> *Il a mis **sa** main dans **sa** poche.*

1. Elle s'est coupé _____ cheveux.

2. Fermez _____ yeux.

3. Il a mis _____ chapeau sur _____ tête.

4. Elle s'est cassé _____ jambe.

5. Tu t'es maquillé _____ yeux.

6. Va te laver _____ mains.

7. Il a mal à _____ tête.

8. Elle s'est coupé _____ doigt.

9. Le docteur lui a bandé _____ main gauche.

10. _____ main droite va très bien.

IV. **Vocabulaire.** Dans les phrases suivantes, mettez le mot qui convient dans l'espace vide. Choisissez un mot de cette liste.

rejoindre	défiler	murmurer
le remerciement	gâté	réjouir
un amateur	la politesse	goûté
reconnaissant	le décorateur	oser
aimable	la chapelle	sans cérémonie
un antiquaire	aimé	

1. Quand on vous fait un cadeau, vous envoyez un mot de _____ .

2. Le 14 juillet, les soldats _____ sur les Champs-Elysées.

3. Après la messe, venez nous _____ au restaurant.

4. Vous nous invitez à dîner? Vous êtes bien _____ .

5. Ils m'ont rendu un grand service. Je suis tout à fait _____ .

6. J'ai trouvé une magnifique chaîne en or du 18ème siècle chez un _____

_____ .

7. Ces enfants ont tout ce qu'ils désirent: ils sont trop _____ .

8. Son oncle est grand _____ d'œuvres d'art. Il collectionne les objets

rares.

9. Après la cérémonie, la mariée est allée déposer son bouquet à _____

_____ .

10. Ce mariage a eu lieu très simplement; peu d'invités, pas de musique, quelques fleurs. C'est

un mariage _____ .

V. **Traduction.**

1. She is embarrassed. _____

2. He lost his head. _____

3. What is the bride's dress made of? _____

_____

4. Mine was made of silk. _____

5. Peter broke his leg. _____

6. My regards to your family. _____

7. A friend of mine. . . _____

VI. Un mariage. Regardez le dessin suivant. Décrivez les actions, les pensées des personnes représentées. Imaginez leur conversation. Vous pouvez utiliser le vocabulaire suggéré.

la mariée • le marié • les félicitations • les remerciements • le cadeau •
un amateur d'art • au fond de • la statue • le service à porto • la bonbonnière en
argent • se précipiter • se tenir par la main • se serrer la main • s'embrasser •
le collier en or • la nappe • tirer (*to pull*)

_____

_____

_____

_____

_____

_____

_____

_____

_____

_____

_____

_____

_____

Chapitre **18**

Les pronoms relatifs

Première partie: exercices oraux

Faites ces exercices au laboratoire, sans cahier. Ecoutez le speaker, répondez aux questions, faites les transformations.

Deuxième partie: exercices oraux / écrits

Faites le travail de cette partie au laboratoire, avec votre cahier.

I.   Prononciation.

    1.   Le **-p** final ou intérieur.   **P** ne se prononce dans les mots suivants.

loup	septième
coup	baptême
drap	sculpter
temps	compter
champ	dompter

       Le **-p** final se prononce dans les mots suivants.

          cap   stop   croup

    2.   La lettre **x.**   On prononce cette lettre généralement comme en anglais.

        a.   Le **x** se prononce /ks/ dans les mots suivants.

taxi	Texas
vexer	Mexique
excellent	

        b.   Le **x** se prononce /gz/ dans les mots suivants.

exact	exister
examen	exode
exagère	

c. Le **x** se prononce / s / dans les mots suivants.

Bruxelles   soixante   six   dix

d. Le **x** se prononce / z / dans les mots suivants.

deuxième   dixième
sixième   dix-huit

3. Le **-g** final.

a. Le **-g** final est généralement muet.

long   rang   poing   (*fist*)
sang   doigt   coing   (*quince*)

b. Le **-g** final est prononcé dans les mots suivants.

grog   (*hot toddy*)   gag
gang   gong / gɔ̃ / ou / gɔ̃g /.

4. Les groupes **gue, gua, gui.**

a. Le groupe **gue** est prononcé / g /.

fatigue   algue   langue   guenon

b. Le groupe **guë** avec le tréma sur le **e** prononcé / gy /.

aiguë   / egy /   (*sharp*)

c. Le group **gua** se prononce / ga /.

fatigua   dragua   relégua

Attention: Dans les mots suivants **gua** est prononcé / gwɑ /.

Guadeloupe   jaguar

d. Le groupe **gui** se prononce / gi /.

gui (*mistletoe*)   guirlande
guitare   anguille

Le groupe **gui** se prononce / gɥi / dans les mots suivants.

aiguille   (*needle*)   linguiste

5. Le **s** intérieur. Le **s** intérieur ne se prononce pas dans les mots suivants et dans les relatifs.

Deschamps   lesquels
Mesnil   desquels

Le **s** intérieur se prononce dans les mots suivants.

resquiller   esquisser   presque

6. Le groupe **mn** se prononce / mn / dans les mots suivants.

insomnie   somnifère   hymne
somnambule   gymnastique

Le groupe **mn** se prononce / n / dans les mots suivants.

automne   condamner
damner   condamnation

7. Le groupe **mm** se prononce / m / dans les mots suivants.

   immense   femme

   Attention: Parfois le premier **m** aide à former une voyelle nasale.

   immangeable   emmener   emménager

8. Mots difficiles.

Françoise Giroud	côtelettes d'agneau
essentiellement	l'argenterie
aux Etats-Unis	un établissement
un héros de Corneille	bien-pensant

II. Dictée de sons.   Le speaker prononce un mot. Vous choisissez et vous encerclez (*circle*) le mot que vous entendez. Le speaker vous donne la réponse.

	(1)	(2)	(3)
1.	gang	gangue	gag
2.	vogue	vogua	vague
3.	aigue	aiguille	aiguë
4.	longue	long	longe

III. Dictée.   Le speaker lit la dictée deux fois. La première fois, vous écoutez. La deuxième fois, écrivez!

_____

_____

_____

_____

_____

_____

_____

_____

_____

_____

_____

IV. Compréhension.   Une bonne nouvelle.   Avant de commencer, lisez le vocabulaire qui précède l'exercice. Ecoutez le dialogue suivant, qui sera lu deux fois. Ensuite, arrêtez la machine, et écrivez les réponses aux questions ci-dessous. Puis écoutez les réponses correctes.

   les bibelots knickknacks
   la virgule comma

1. Pourquoi est-ce que l'oncle d'Amérique envoie de l'argent à Françoise et à sa mère? _____

   _____

2. Qu'est-ce qu'elles vont pouvoir payer? _____

   _____

3. Qu'est-ce qu'elles vont pouvoir garder? _____

4. Entre quelles études est-ce que Françoise hésite? _____

5. Combien d'argent est-ce que Mme Giroud croit que son oncle lui a envoyé? _____

6. Combien a-t-il envoyé en réalité? _____

7. Quelle erreur est-ce que Mme Giroud a faite? _____

8. Que va faire Françoise et quelle occupation va-t-elle avoir? _____

Troisième partie: exercices écrits

I. Formes des pronoms relatifs. Reliez les phrases données avec un pronom relatif (**qui, que, dont,** etc.).

> MODÈLE: C'est un sujet. Il ne parle jamais de ce sujet.
>
> *C'est un sujet **dont** il ne parle jamais.*

1. J'ai acheté un tableau. Il a reçu le prix de Rome. _____

2. Voilà un bon travail. Vous pouvez en être content. _____

3. Il a un frère. Il ne s'entend pas avec lui. _____

4. Elle boit beaucoup. Je trouve cela très déplaisant. _____

5. J'ai des amis. Parmi ces amis, il y a beaucoup d'étrangers. _____

6. Elle a perdu le livre. Je lui avais prêté ce livre. _____

7. Ils se sont perdus dans la montagne. Cela aurait pu être sérieux. _____

8. Dans un magasin j'ai vu un bijou. J'en ai envie. _____

9. C'est une plaisanterie. Je ne la trouve pas drôle. _____

10. Ils ont acheté une maison. Derrière cette maison il y a un grand jardin. _____

_____

_____

II. **Une invitation.** Dans le texte suivant mettez le pronom relatif qui manque.

La maison _____ nous venons d'acheter est charmante. Elle a d'énormes qualités, parmi _____ la plus appréciable est son emplacement. _____ nous a séduits immédiatement, c'est le calme du quartier.

Nous avons emménagé (*moved in*) mardi. Nous avons apporté tous nos meubles, _____ _____ la plupart se trouvaient dans un garde-meubles depuis longtemps. Les anciens propriétaires, _____ quittaient la région, nous ont laissé beaucoup de choses, surtout des outils de jardinage, _____ nous apprécions beaucoup, car c'est souvent ruineux, quand on change de maison, d'acheter tout _____ manque, tout _____ on a besoin.

Nous montrons notre maison à chaque personne _____ veut la voir. Nous allons organiser une petite soirée _____ célèbrera notre acquisition de la nouvelle maison, _____ nous sommes si fiers. Venez donc jeudi, à l'heure _____ vous conviendra. Apportez _____ vous voudrez.

III. **Qui est-ce?** Dans les paragraphes suivants, mettez le pronom relatif qui convient et devinez la personne qui est décrite. (Les réponses se trouvent au bas de la page 148.)

1. L'homme _____ je parle a découvert un vaccin important, _____ _____ permet aux animaux domestiques, et aux humains de ne pas attraper une maladie _____ autrefois était terrible, et _____ _____ on mourait, si on était mordu par un animal malade _____ _____ l'on rencontrait. _____

2. Cette petite fille, _____ les cheveux blonds et bouclés sont célèbres, est connue pour les films dans _____ elle a joué, chanté, dansé. Devenue adulte, elle a abandonné une carrière par _____ elle avait enchanté le public américain; la profession _____ 'elle a choisie est toute différente: elle est devenue ambassadrice, _____ prouve qu'on peut être actrice et avoir aussi d'autres talents. _____

3. Cet homme a construit à Paris, _____ il a vécu, un monument _____ _____ est le symbole de cette ville, sur _____ tous les touristes veulent monter, _____ on voit tout Paris en panorama, et _____ chacun aime avoir une petite reproduction.

_____

4. C'est un jeune homme _____ écrit et chante des chansons très populaires, _____ les disques se vendent par millions, _____ l'on voit souvent à la télé entouré de sa famille, _____ les jeunes filles sont folles, _____ le Président a reçu à la Maison Blanche, et _____ _____ porte un seul gant garni de diamants.

_____

IV. Pendant / pour. Dans les phrases suivantes, mettez le mot qui convient pour traduire *for.*

1. Françoise a vécu _____ toute son enfance dans une propriété avec beaucop de domestiques.

2. Sa famille louait une maison au bord de la mer _____ l'été.

3. Son père avait été chargé d'une mission et partit _____ plusieurs années aux Etats-Unis.

4. La cuisinière a travaillé _____ des heures pour réussir ce gâteau magnifique.

5. Les pensionnaires restaient à la pension _____ des semaines sans voir leurs parents.

6. Ces jeunes parents qui travaillent ont engagé une gouvernante _____ trois ans, jusqu'à ce que leur enfant puisse aller à l'école.

V. Vocabulaire. Dans les phrases suivantes, mettez le mot qui convient dans l'espace vide. Choisissez un mot de cette liste.

côtelette d'agneau	élever la voix
s'endetter	mettre en pension
être à la charge	gouvernante
avoir les moyens	se nourrir de
à louer	supporter
avoir du goût	faire vivre

1. Maman, pourquoi est-ce que nous n'avons plus de femme de ménage? —Nous n' _____ de payer quelqu'un. Nous allons faire le ménage nous-mêmes.

2. A 15 ans, Françoise a commencé à travailler et à gagner sa vie, parce qu'elle ne voulait pas _____ de sa famille.

3. Ils ont dépensé plus d'argent qu'ils n'en gagnaient et _____ pour acheter une maison.

4. Ce jeune couple travaille beaucoup pour _____ leurs enfants.

5. Les koalas sont des animaux qui vivent en Australie et _____ de feuilles d'eucalyptus, exclusivement.

6. Les parents qui vivent à la campagne doivent souvent _____ leurs enfants _____ à la ville.

7. La mère de Suzanne achète ses vêtements chez les grands couturiers de la rue Saint-Honoré: elle _____ et de l'argent!

8. La sœur de Françoise est tombée malade: elle n'a pas pu _____ l'humiliation d'être pauvre dans une pension pour jeunes filles riches.

VI. Traduction.

1. The book I need. _____
2. The book I'm reading. _____
3. The book I'm thinking about. _____
4. The book I'm looking for. _____
5. The book that pleases me. _____
6. What do you think of that? _____
7. He has enough to pay. _____
8. The day I left. _____

VII. Une flambée. Regardez le dessin suivant. Décrivez les actions, les pensées des personnes représentées. Imaginez leur conversation. Vous pouvez utiliser le vocabulaire suggéré.

Il allume une flambée
avec **LE FIGARO** d'hier. L'appartement
dont je rêvais part en fumée.

une flambée (*a quick fire*) • une petite annonce (*an ad*) • de charme (*charming*) •
la cheminée • brûler • se fâcher • éteindre • louer

_____

_____

_____

_____

_____

_____

_____

_____

_____

_____

_____

_____

_____

_____

_____

Les démonstratifs

Première partie: exercices oraux

Faites ces exercices au laboratoire, sans cahier. Ecoutez le speaker, répondez aux questions, faites les transformations.

Deuxième partie: exercices oraux / écrits

Faites le travail de cette partie au laboratoire, avec votre cahier.

I. Prononciation.

1. L'orthographe **en.**

   a. L'orthographe **en** représente généralement le son /ã/.

      entier   enfant   entamer

   b. **en** représente le son /ɛ̃/ dans des mots d'origine savante ou étrangère.

      appendice   référendum
      benzine   Rubens
      benjamin   Stendhal
      pentagone   Saint-Ouen

   c. La terminaison **-en** se prononce /ɛn/ dans les mots suivants.

      amen   pollen
      hymen   lichen
      abdomen

2. La terminaison **-ing** se prononce /ŋ/. Le **i** est plus net qu'en anglais.

   camping   smoking   (*tuxedo*)
   parking   footing   (*jogging*)

   Exception: le mot **shampooing** = /ʃɑ̃pwɛ̃/

3. La lettre **w.**   **W** se prononce /v/ dans les mots suivants.

wolfram   interviewer
Wisigoth   Wagner
Walkyrie   W. C. (doublevécé)
wagon

Dans les mots d'origine étrangère on a le choix.

water-closet /vatɛr/ ou /watɛr/

mais on dit:

Waterloo /watɛrlo/
Watt /wat/
week-end /wikɛnd/
western /wɛstɛʀn/

4. Le lettre **y.**

a. Après une consonne **y** représente le son /i/.

stylo   physique

b. Le **y** initial représente le son /j/.

yaourt   yoga   yacht /jɔt/

c. Entre deux voyelles **y** représente le son /j/. C'est l'équivalent de deux **i**. Un **i** se prononce avec la voyelle qui précède, le deuxième **i** est /j/.

crayon = crai-ion /kʀɛjõ/
voyage = voi-iage /vwajaʒ/

balayons   moyen
voyons   ennuyeux
soyeux

Exceptions:

mayonnaise /majɔnɛz/   coyote /kɔjɔt/
Bayonne /bajɔn/   bruyère /bʀyjɛʀ/
Bayard /bajaʀ/   Gruyère /gʀyjɛʀ/   (*Swiss cheese*)
cobaye /kɔbaj/   (*guinea pig*)

Attention: **abbaye** se prononce /abei/.

5. Mots difficiles.

pouvoirs particuliers   miauler
manœuvre   accueillez-le
par hasard   regain
Chandeleur   pièce percée

II. **Dictée de sons.** Le speaker prononce un mot. Vous choisissez et vous encerclez (*circle*) le mot que vous entendez. Le speaker vous donne la reponse.

	(1)	(2)	(3)
1.	amène	amant	amen
2.	abbaye	à bail	abeille
3.	souillons	soyons	soyeux
4.	Béjard	Bayard	billard
5.	nouille	noué	noyé

III. **Dictée.** Le speaker lit la dictée deux fois. La première fois vous écoutez. La deuxième fois, écrivez!

_____

_____

_____

_____

_____

_____

_____

_____

_____

_____

_____

_____

_____

_____

_____

IV. **Compréhension. Une bonne action.** Ecoutez le dialogue suivant, qui sera lu deux fois. Ensuite, arrêtez la machine, et écrivez les réponses aux questions ci-dessous. Puis écoutez les réponses correctes.

1. Où vont Mme Cocteau et Mme Marais? _____

_____

2. Pourquoi est-ce que les Giroud vendent tout ce qu'ils ont? _____

_____

3. Qu'est-ce que les deux femmes achètent? _____

_____

4. Qu'est-ce que les deux femmes remarquent? _____

_____

5. Quel est le prix marqué pour la petite boîte et quelle est sa valeur réelle? _____

_____

6. Pourquoi cette boîte vaut-elle une fortune? _____

_____

7. Que fera un antiquaire quand il verra la boîte? _____

_____

8. Quelle satisfaction vont avoir les deux femmes? _____

_____

Troisième partie: exercices écrits

I. Adjectifs démonstratifs. Mettez l'adjectif démonstratif (**ce, cette, ces**) devant les noms suivants.

MODÈLE: *cette* femme

1. _____ machine
2. _____ dieu
3. _____ histoires
4. _____ présage
5. _____ maladresse
6. _____ chance
7. _____ fil
8. _____ pièce
9. _____ accueil
10. _____ pierres

II. Pronoms démonstratifs. Remplacez chaque nom par un pronom démonstratif (**celui-ci, celle-là,** etc.)

MODÈLE: la femme   *celle-ci ou celle-là?*

1. le maléfice _____
2. la fête _____
3. la nuance _____
4. les affaires _____
5. les billets _____
6. l'élément de cuisine _____
7. les croisements _____

8. le propriétaire _____

9. la noyade _____

10. les chèques _____

III. **Ce, cela, il est, elle est.** Mettez la forme qui convient: **ce, cela, il** ou **elle.**

1. J'aime aller au théâtre; _____ me détend.

2. _____ est tard. Il faut rentrer.

3. Schweitzer était vraiment docteur; oui, _____ était un grand docteur.

4. Mme Dupont-Dupont est professeur; _____ est professeur d'histoire.

5. _____ est complètement idiot, cette explication.

6. Vous avez raison; _____ est évident.

7. _____ sont des amis d'enfance.

8. _____ est amusant de jouer aux cartes.

9. _____ suffit.

10. _____ est temps de partir.

11. _____ vous dérange?

12. Cette malle est lourde _____ est pleine de livres.

IV. **Une valise bien pleine.** Barbara va passer un an en France. Son amie Marie-Line lui donne des conseils sur ce qu'elle doit emporter. Utilisez des adjectifs ou des pronoms démonstratifs.

> MODÈLE: *Barbara:* Crois-tu qu'il faut que j'emporte cette *robe-ci* ou *celle-là?*
> *Marie-Line:* Plutôt *celle-là.*

Barbara: Ce jean a un trou.

Marie-Line: Oui, prends plutôt _____ ; _____ qui a l'air plus neuf.

Barbara: Ai-je besoin de ce pull-là ou de _____ ?

Marie-Line: Emporte _____ qui sont chauds. Il fait froid en France en hiver.

Barbara: Et ces jupes. Les porterai-je?

Marie-Line: Tu ne porteras ni _____ , ni _____ . Tu porteras surtout des pantalons. _____ sont plus confortables.

Barbara: Et comme manteau? _____ ou _____ ?

Marie-Line: _____ qui est imperméable; il pleut en France.

Barbara: Les chaussures, maintenant. _____ que j'ai sont en bien mauvais état. _____ , peut-être? Qu'en penses-tu?

Marie-Line: _____ qu'on trouve en France sont élégantes et meilleur marché.

Tu achèteras _____ dont tu auras besoin.

Barbara: Et les accessoires? Sacs, écharpes, ceintures?

Marie-Line: Prends _____ sac-ci _____ et _____ ,

_____ écharpe _____ et _____ ,

_____ ceinture _____ et _____ .

Barbara: Regarde! Ma valise est pleine de tout _____ que tu m'as dit d'emporter.

V. Vocabulaire. Dans les phrases suivantes, mettez le mot qui convient dans l'espace vide. Choisissez un mot de cette liste.

un maléfice	la malchance	atterrir
un porte-bonheur	une tache	il faut fêter
miauler	accueillir	inoffensif
valable	un bon présage	tomber
la poêle	il faut sauter	le mauvais sort
un malheur	le poêle	croiser

1. Un fer à cheval est un _____ .

2. Cette personne a beaucoup de _____ : elle a eu des ennuis d'argent, un accident, elle est en mauvaise santé. . .

3. Un chat qui a faim _____ pour réclamer sa nourriture.

4. _____ la Chandeleur pour avoir de la chance.

5. L'avion _____ sur le terrain.

6. On fait sauter les crêpes dans _____ .

7. La pétanque est un passe-temps _____ . On ne fait mal à personne.

8. Si on croise un chat noir, ce n'est pas _____ .

9. J'ai fait une _____ à mon pantalon. Il faut le faire nettoyer.

10. Autrefois les sorciers jetaient un _____ sur les personnes dont ils voulaient se venger.

VI. Traduction.

1. I took my cassettes and Mary's. _____

_____

2. I don't have any paper handy. _____

_____

3. I miss you. Do you miss me? _____

_____

4. To find a four-leaf clover brings luck. _____

_____

5. He caught six crepes in a row. What luck! _____

_____

VII. **A la librairie.** Regardez le dessin suivant. Décrivez les actions, les pensées des personnes représentées. Imaginez leur conversation. Vous pouvez utiliser le vocabulaire suggéré

la romancière (*novelist*) • la couturière • jouer un rôle • faire du droit •
la gouvernante • s'informer • la cuisinière • une recette • la voyante •
s'attendre à • avoir sous la main • valable • le sort • s'intéresser à

_____

_____

_____

_____

_____

_____

_____

_____

_____

_____

_____

_____

_____

_____

_____

Chapitre **20**

Le discours indirect

Première partie: exercices oraux

Faites ces exercices au laboratoire, sans cahier. Ecoutez le speaker, répondez aux questions, faites les transformations.

Deuxième partie: exercices oraux / écrits

Faites le travail de cette partie au laboratoire, avec votre cahier.

    I. Prononciation. La liaison.   Il y a des liaisons obligatoires, des liaisons interdites et des liaisons facultatives.

       1. Liaisons obligatoires.   Une liaison se fait entre un mot inaccentué, généralement court (un article, un pronom sujet, un possessif, un auxiliaire de verbe, un adverbe, une préposition) et le mot qui suit.

          a. Le son de liaison peut être / z /:

             après **-s.**

les enfants	nous allons
des enfants	très intéressant
mes enfants	dans un sac

             après **-x.**

deux ans	aux amis

             après **-z.**

chez eux	allez-y!

          b. Le son de liaison peut être / n / après **-n.**

un ami	on a
mon ami	il en a
aucun ami	

c. Le son de liaison peut être /t/:

après **-t.**

est-il   huit amis
sont-ils   tout étonné
petit ami

après **-d.**

quand il pleut   un grand ami   second enfant

d. Le son de liaison peut être /ʀ/ après **-r.**

premier étage   dernier ouvrage

e. Le son de liaison peut être /f/ ou /v/ après **-f.**

neuf enfants /nœfɑ̃fɑ̃/   neuf heures /nœvœʀ/
neuf articles /nœfɑʀtikl/   neuf ans /nœvɑ̃/

f. On fait la liaison dans des groupes figés (*fixed groups*).

de moins en moins   c'est-à-dire
de mieux en mieux   accent aigu
de plus en plus   avant hier
de temps en temps   comment allez-vous?
Les Champs-Elysées   mot à mot
Les Etats-Unis   il était une fois   (*once upon a time*)
pas à pas

2. **Liaisons interdites.**   On ne fait pas la liaison:

a. entre un nom singulier et le mot qui suit.

un enfant / adorable   un sujet / intéressant   Le chat / est entré.

b. après un nom qui se termine par une nasale.

Jean / attend / un taxi.

c. après **ils** et **elles** dans un verbe à la forme interrogative.

Sont-elles / arrivées?   Ont-ils / appris?

d. après la conjonction **et.**

il va et / il vient   Anne et / Yves

e. après un **h** aspiré.[1]

les / haricots   les / harengs   les / hasards
les / héros   des / hors d'œuvre   les / Hollandais
les / hiboux   les / hanches (*hips*) les / hauteurs

f. après un nom pluriel dans un nom composé.

des salles / à manger   des metteurs / en scène

g. après **comment** interrogatif (sauf **Comment allez-vous?**).

Comment / avez-vous voyagé?

---

[1] Un **h** aspiré est généralement indiqué par le dictionnaire.

h. après **quand** interrogatif.

Quand / irez-vous à Paris?

EXERCICE. Indiquez si la liaison est faite ou non; puis prononcez le groupe. Le speaker vous donne la réponse. Répétez après le speaker.

MODÈLE:

mes amis   (oui)   non   mes‿amis

les haricots   oui   (non)   les / haricots

	OUI	NON
1. vos enfants	_____	_____
2. un soldat américain	_____	_____
3. en un mot	_____	_____
4. nous irons	_____	_____
5. quand il veut	_____	_____
6. en haut	_____	_____
7. dans un trou	_____	_____
8. les Halles	_____	_____
9. l'enfant aimé	_____	_____
10. comment espérer	_____	_____
11. et ainsi	_____	_____
12. Quand étudiez-vous?	_____	_____
13. neuf heures	_____	_____
14. premier âge	_____	_____
15. ces hommes	_____	_____
16. mes hanches	_____	_____

3. Liaisons facultatives. Les liaisons facultatives sont faites dans une lecture soignée, ou dans une façon de parler affectée, et en poésie. Dans la conversation courante on ne les fait pas.

langue soignée	*conversation*
a. après un nom pluriel.	
des‿enfants‿heureux	des‿enfants / heureux
b. après un auxiliaire.	
nous sommes‿allés	nous sommes / allés
je vais‿essayer	je vais / essayer
c. après **pas.**	
ils n'ont pas‿osé	ils n'ont pas / osé
vous n'êtes pas‿intéressé	vous n'êtes pas / intéressé

	langue soignée	*conversation*

d. après les prépositions **après** et **avant**.

langue soignée	*conversation*
après‿un bon repas	après / un bon repas
avant‿un voyage	avant / un voyage

4. Mots difficiles.

campagne	carrefour
compagne	hors-d'œuvre
Bongrain	embouteillages
le pont de chemin de fer	René Goscinny

II. **Dictée de sons.** Le speaker prononce un mot. Vous choisissez et vous encerclez (*circle*) le mot que vous entendez. Le speaker vous donne la réponse.

	(1)	(2)	(3)
1.	genre	gendre	gens
2.	Marie	mariée	marée
3.	fume	faim	femme
4.	marraine	marin	marrant
5.	compagne	campagne	qu'on peigne

III. **Poème.** Le speaker lit le poème. Ecoutez le poème, lu en entier, puis répétez après chaque pause.

Le Ciel est par-dessus le toit

Le ciel est, par-dessus le toit,
  Si bleu, si calme!
Un arbre, par-dessus le toit,
  Berce sa palme.

La cloche, dans le ciel qu'on voit,
  Doucement tinte.
Un oiseau sur l'arbre qu'on voit
  Chante sa plainte.

Mon Dieu, mon Dieu, la vie est là,
  Simple et tranquille.
Cette paisible rumeur-là
  Vient de la ville.

—Qu'as-tu fait, ô toi que voilà
  Pleurant sans cesse,
Dis, qu'as-tu fait, toi que voilà,
De ta jeunesse?

Paul Verlaine

bercer to rock   **tinter** to ring   **paisible** peaceful

IV. Compréhension. La partie de pétanque. Ecoutez le dialogue suivant, qui sera lu deux fois. Ensuite, arrêtez la machine, et écrivez les réponses aux questions ci-dessous. Puis écoutez les réponses correctes.

1. Pourquoi est-ce qu'en France les enfants ne peuvent pas jouer sur les pelouses? _____
   _____

2. Quel jeu est-ce que Didier va montrer à Ken? _____
   _____

3. Où est-ce que les enfants vont jouer? _____
   _____

4. Qu'est-ce qu'on lance d'abord? _____
   _____

5. Où est-ce qu'on essaie de placer la boule de métal? _____
   _____

6. Pourquoi est-ce que Ken a gagné? _____
   _____

7. Qu'est-ce que c'est que «tirer»? _____
   _____

8. Qu'est-ce qui arrive quand Ken essaie de tirer? _____
   _____

9. Pourquoi est-ce que Ken préfère vivre aux Etats-Unis? _____
   _____

Troisième partie: exercices écrits

I. Répétez les phrases suivantes au style indirect. Faites les transformations nécessaires.

> Modèle: Ils disent: «Nous partirons demain.»
> *Ils disent **qu'ils partiront** demain.*

1. Elle avoue: «J'ai mal dormi hier.» _____
   _____

2. Le marchand assure: «Le poulet sera bien tendre.» _____
   _____

3. Elle jure: «J'ai payé la note (*bill*) d'électricité la semaine dernière.» _____
   _____

4. Le directeur lui demande: «Ne téléphonez pas si souvent.» _____
   _____

5. Vous suggérez: «Allons au cinéma ce soir.» _____
   _____

II. Le discours indirect. Répétez les phrases suivantes à la forme indirecte. Commencez par (1) **Elle demande. . .** (2) **Il a demandé. . .** Attention au mot interrogatif: **si, que, ce qui,** etc.

> MODÈLE: Vous venez.
>
> *Elle demande **si** vous venez.*
>
> *Il a demandé **si** vous veniez.*

1. Que faites-vous? _____

   _____

   _____

2. Qu'est-ce qui se passait? _____

   _____

   _____

3. Avez-vous de la monnaie? _____

   _____

   _____

4. Ils ont vraiment eu peur? _____

   _____

   _____

5. Qui viendra à votre soirée? _____

   _____

   _____

6. Quelle heure est-il? _____

   _____

   _____

7. Comment allez-vous? _____

   _____

   _____

8. Qu'est-ce que vous dites? _____

   _____

   _____

III. Si + futur. Vous êtes interviewé par un vétérinaire pour travailler avec des animaux malades. Le vétérinaire vous pose des questions. Suivez le modèle.

> MODÈLE: Voulez-vous assister à des opérations?
>
> *Le vétérinaire me demande si je voudrai assister à des opérations.*

1. Pouvez-vous travailler 40 heures par semaine? _____

   _____

2. Supportez-vous l'odeur des désinfectants? _____

   _____

3. Etes-vous sensible à la douleur des animaux? _____

_____

4. Vous sentez-vous mal quand vous voyez un animal blessé? _____

_____

5. Avez-vous peur d'être mordu ou griffé (*scratched*)? _____

_____

IV. **Trouvez votre chemin.** Regardez le plan de Paris aux pages suivantes et expliquez à un ami comment il peut trouver son chemin à Paris. Utilisez les mots de la liste suivante.

MODÈLE: Je veux aller du Jardin des Plantes à la Gare Montparnasse.

Pour aller du Jardin des Plantes à la Gare Montparnasse, tu suis le boulevard St.-Germain, tu tournes dans la rue de Vaugirard, tu arrives dans la rue de Rennes, tu tournes à gauche et tu suis la rue de Rennes jusqu'à la gare Montparnasse.

à côté de	aller tout droit
sur le boulevard	tourner ou prendre à gauche
dans l'avenue	tourner ou prendre à droite
sur la place	se trouver au coin de la rue
dans la rue	se trouver au milieu du pâté (*block*) de maisons
arriver à	traverser une place, une rue
aller jusqu'à	en face de
suivre une rue jusqu'à	

1. Je veux aller de la Gare St.-Lazare au Panthéon.

_____

_____

_____

_____

_____

_____

_____

2. Je veux aller de la Place des Vosges à l'Hôtel des Invalides.

_____

_____

_____

_____

_____

_____

_____

Visitons Paris! (*Let's visit Paris!*)

3.　Je veux aller de l'Arc de Triomphe à la Tour Montparnasse.

_____

_____

_____

_____

_____

_____

_____

4.　Je veux aller de la Sorbonne au Palais de Chaillot.

_____

_____

_____

_____

_____

_____

_____

V.　**Vocabulaire.**　Dans les phrases suivantes, mettez le mot qui convient dans l'espace vide. Choisissez un mot de cette liste.

à cause de	indications	crier après
la pancarte	cru	en vitesse
mûr	le potager	rigolo
la route en terre	la station-service	tout droit
les travaux	un embouteillage	avancer
le goût	le rôti	tarder

1.　M. Bongrain _____ son fils parce qu'il jouait sur la pelouse.

2.　Vous aimez mes tomates? Je les ai fait pousser dans mon _____ .

3.　Ton rôti est brûlé! Ah! Ah! —Ne ris pas, ce n'est pas _____ .

4.　Nous avons pris de l'essence à une _____ .

5.　Pour aller à ce lac, il faut quitter la route principale et prendre une _____

_____ .

6.　Les voitures ne peuvent pas aller vite et doivent faire attention quand il y a des

_____ .

7.　Sur une grande _____ nous avons lu: «Détour.»

8.　Pour aller à ma maison de campagne, vous tournez à droite, puis à gauche, ensuite c'est

_____ .

9. Nous n'allons pas _____ à rentrer parce qu'il va bientôt faire nuit.

10. Vous vous êtes perdus! —Oui, nous n'avons pas suivi vos _____ .

VI. Traduction.

1. They say Corentin is very nice. _____

_____

2. It's straight ahead. _____

3. My answer is yes. _____

4. He pretends to know where he is going. _____

_____

5. The roast was funny looking. _____

6. Have fun and be good! _____

VII. Une maison de campagne. Regardez le dessin suivant. Décrivez les actions, les pensées des personnes représentées. Imaginez leur conversation. Vous pouvez utiliser le vocabulaire suggéré.

le propriétaire • le jardinage • le potager • les tomates mûres • le panier • le goût • il paraît que • les oignons • jouer à la pétanque • l'allée • sage • les carottes • le linge • sécher • coudre • salir • Que pensez-vous de? • les laitues • à mon avis (*opinion*) • préférer • les haricots (*green beans*) • la lessive • les loisirs • la boule • la pelouse

_____

_____

_____

_____

_____

_____

_____

_____

_____

_____

_____

_____

_____

_____

Le passif

Première partie: exercices oraux

Faites ces exercices au laboratoire, sans cahier. Ecoutez le speaker, répondez aux questions, faites les transformations.

Deuxième partie: exercices oraux / écrits

Faites le travail de cette partie au laboratoire, avec votre cahier.

I. Prononciation.

1. Les géminées.

   a. Une double lettre se prononce comme une seule. Quelquefois une double lettre se prononce en géminée (double prononciation) par exagération, dans la langue populaire.

   Contrastez:

m	*mm*
immense	immense

l	*ll*
illustre	illustre
illégal	illégal

   b. La chute d'un **e** muet qui entraîne la rencontre de deux consonnes est la cause d'une géminée.

je mé méfie	pas dé danger
bonné nuit	je né nage pas
dans cé sac	

   c. Contrastez:

simple	*géminée*
uné oie	uné noix
la dent	là-dédans
ça c'est	ça sé sait
pas déjeuné	pas dé déjeuner
tu mens	tu mé mens

2. La terminaison **-tie, -tions.**

   a. L'orthographe **ti** se prononce généralement /ti/.
      On prononce la terminaison **-tie** /si/ dans les mots suivants:

      démocratie   inertie
      autocratie   balbutie   (*stutters*)
      ploutocratie

      Attention:

      sortie   partie

   b. La terminaison **-tial** se prononce /sjal/ dans le mot **initial** mais /tjal/ dans le mot **bestial.**

   c. La terminaison **-tions** se prononce /sjɔ̃/ dans les noms et /tjɔ̃/ dans les verbes.

      Contrastez:

/sjɔ̃/	/tjɔ̃/
des portions	nous portions
des inventions	nous inventions

   d. La terminaison **-tier** se prononce /sje/ dans le verbe **initier** et /tje/ dans le nom **métier.**

3. Mots difficiles.

s'apitoyer	effroyable
un arc et un carquois	dévisager
Tombouctou	généalogie
la brousse	douillet

II. **Dictée de sons.**   Le speaker prononce un mot. Vous choisissez et vous encerclez (*circle*) le mot que vous entendez. Le speaker vous donne la réponse.

	(1)	(2)	(3)
1.	poème	pomme	paume
2.	une oie	une noix	un noir
3.	les eaux	les zones	les Hauts
4.	thon	tout	temps
5.	traie	tiraille	treille

III. **Dictée.**   Le speaker lit le texte deux fois. La première fois, vous écoutez. La deuxième fois, écrivez!

_____

_____

_____

_____

_____

_____

_____

_____

_____

_____

_____

_____

_____

_____

_____

_____

IV. Compréhension. Une leçon d'histoire. Avant de commencer, lisez le vocabulaire qui précède l'exercice. Ecoutez le dialogue suivant, qui sera lu deux fois. Ensuite, arrêtez la machine, et écrivez les réponses aux questions ci-dessous. Puis écoutez les réponses correctes.

> **pêcher**   to fish
> **la vache**   cow
> **la chèvre**   goat
> **à fond de cale**   in the hold

1. D'où viennent les arrière-arrière-grands-parents de l'enfant qui pose les questions à son grand-père? _____

_____

2. Comment vivaient ces gens? Que faisaient-ils? _____

_____

3. Par qui ont-ils été capturés, un jour? _____

_____

4. Pourquoi étaient-ils enchaînés les uns aux autres? _____

_____

5. Où ont-ils été embarqués et pour quelle destination? _____

_____

6. Dans quelles conditions s'est effectué le voyage? _____

_____

7. Qu'est-ce qui est arrivé ensuite? _____

_____

8. Quels travaux est-ce qu'ils ont dû faire ensuite? _____

_____

9. Quels sont les événements qui ont aboli cette situation? _____

_____

Troisième partie: exercices écrits

I. Formes du verbe passif. Mettez les verbes suivants à la forme passive au temps correspondant.

1. il faisait _____

2. elle interdit _____

3. nous vaincrons _____

4. vous élirez _____

5. tu as convoqué _____

6. ils méprisent _____

II. Le complément d'agent. Mettez les phrases suivantes à la forme passive.

1. Le meilleur cuisinier de France a préparé ce repas. _____

_____

2. Le Parlement adoptera cette loi. _____

_____

3. Un de ses amis a écrit sa dissertation. _____

_____

4. Tous les soirs le directeur fermait le magasin. _____

_____

III. Par / de. Mettez la préposition qui convient le mieux dans les phrases suivantes.

1. La ville est habitée _____ toutes sortes de gens.

2. La jeune mariée était couverte _____ bijoux.

3. Ma voiture a été complètement démolie _____ un accident.

4. Ce vieux monsieur est couvert _____ décorations.

5. Je suis débordé _____ travail.

6. Son chien a été écrasé _____ une motocyclette.

7. Il est accablé _____ tristesse.

IV. Un accident. Ecrivez l'histoire d'un accident avec le vocabulaire suggéré et beaucoup de verbes passifs.

Hier un accident / se produire

_____

une petite voiture / heurter / un gros camion

_____

la voiture / démolir

_____

trois personnes / blesser (*to injure*) gravement

_____

appeler / une ambulance

_____

les blessés / transporter / à l'hôpital

_____

examiner / un docteur

_____

le chauffeur du camion / interroger / la police

_____

il / être désolé / être ivre / arrêter

_____

le permis de conduire / retirer

_____

mettre en prison (*négatif*)

_____

l'assurance (*insurance*) prévenir

_____

les frais (*expenses*) d'hôpital / payer / la compagnie

_____

V. **Vocabulaire.** Dans les phrases suivantes, mettez le mot qui convient dans l'espace vide. Choisissez un mot de la liste.

aveugle	sourd	envelopper
commerçant	arraché	ligoter
dévisager	douillet	la foule
l'estrade	à l'épaule	vaincu
prêter attention	tomber à genoux	disperser

1. Le vieil esclave n'entend pas et ne voit pas: il est _____ et

    _____ .

2. Dans la rue, les _____ ont ouvert leur boutique et attendent les

    acheteurs.

3. Pourquoi est-ce que tu me regardes avec tant d'intensité? Arrête de me

    _____ !

4. Les chasseurs partent dans la campagne, avec leur fusil _____ .

5. Quand le kidnappeur a été arrêté, il _____ et a demandé pardon.

6. Il y a un théâtre de mimes sur la place du village. Plusieurs acteurs jouent des scènes

    amusantes sur _____ .

7. Cette jeune fille a bien installé sa chambre, décorée de tapis et de fourrures: c'est

    _____ et confortable.

8. Quand il fait froid, en hiver, j'aime rester chez moi: je lis toute la journée, bien

    _____ dans une couverture (*blanket*).

175

VI. Traduction.

1. I have been told. _____

2. It is not done. _____

3. I heard she had an accident. _____

   _____

4. That's why she is in the hospital. _____

   _____

5. It is forbidden. _____

6. I am forbidden to smoke. _____

VII. Au village africain. Regardez le dessin suivant. Décrivez les actions, les pensées des personnes représentées. Imaginez leur conversation. Vous pouvez utiliser le vocabulaire suggéré.

prêter attention • aller à la chasse • avertir • arriver (*to happen*) • dur • douillet • prise • un arc • des flèches • civilisation • effrayé • innocent

_____

_____

_____

_____

_____

_____

_____

_____

_____

_____

_____

_____

_____

_____

Les participes

Première partie: exercices oraux

Faites ces exercices au laboratoire, sans cahier. Ecoutez le speaker, répondez aux questions, faites les transformations.

Deuxième partie: exercices oraux / écrits

Faites le travail de cette partie au laboratoire, avec votre cahier.

I. **Prononciation. Versification.** A part les vers libres qui ont un nombre illimité de syllabes, la poésie française consiste à composer des vers qui ont un nombre fixe de syllabes.
    On a des vers de six syllabes (*hexamètres*), de huit syllabes (*octosyllabes*), de dix syllabes (*décasyllabes*). Le vers le plus courant a douze syllabes (*l'alexandrin*). Victor Hugo a écrit des vers de deux syllabes.

    1. Les syllabes.   Pour compter les syllabes, on part du principe de la syllabation: mais le **e** muet compte toujours pour une syllabe, sauf quand un **e** muet est devant un mot qui commence par une voyelle, ou quand un **e** muet est à la fin du vers.

        Une atmosphère obscure enveloppe la ville.

        Le **e** de **une,** le **e** final d'**atmosphère** et le **e** final d'**obscure** ne comptent pas devant une voyelle. Mais le **e** intérieur et le **e** final de **enveloppe** comptent (ils ne comptent pas en conversation). Comparez:

        Conversation:

        U|né at|mos|phèr|é ob|scu|ré en|vélo|ppé la|villé.   (10 syllabes)
        1   2   3   4   5   6   7   8   9   10

        Poésie:

        U|né at|mos|phèr|é ob|scu|ré en|ve|lo|ppe|la|villé.   (12 syllabes)
        1   2   3   4   5   6   7   8 9 10 11 12

Pour avoir le nombre exact de syllabes, on peut grouper ou diviser certaines syllabes: c'est la *diérèse*.

-ia: on peut dire dia|mant ou di|a|mant

Dans les vers de cinq syllabes de cette strophe, le quatrième vers—**si mystérieux**—doit être compté ainsi:

si|mys|té|ri|eux
1 2   3 4 5

les soleils mouillés
de ces ciels brouillés
pour mon esprit ont les charmes
si mystérieux
de tes traîtres yeux
brillant à travers leurs larmes

2. Les pauses.   Dans l'alexandrin classique, il y a généralement une pause après la sixième syllabe. C'est la *césure*. Chaque groupe de six syllabes s'appelle un *hémistiche*. Une pause est indiquée par une virgule ou par le sens. A l'intérieur de chaque hémistiche, on a les *accents*. L'accent le plus important est sur la syllabe avant la pause. On accentue les noms, les verbes (les mots importants).

   Chaque groupe de six syllabes se divise en 3 - 3, 4 - 2, 2 - 4, etc. C'est le rythme des accents qui crée l'effet poétique.

   Tes yeux sont si profonds que j'y perds la mémoire.

Voici les syllabes:

   tes | yeux | sont | si | pro | fonds = 6

Accents sur **yeux** *et* **-fonds:** rythme 2 - 4.

   que | j'y | perds | la | mé | moire = 6

Accents sur **perds** *et* **-moire:** rythme 3 - 3.

3. L'enjambement.   Quand il n'y a pas de pause à la fin du vers, parce que la phrase grammaticale n'est pas terminée, on a un enjambement ou un rejet.

   Mê|me il|m'est|a|rri|vé|quel|que|fois|de|man|ger|
                Le|Ber|ger.

4. La liaison.   On fait toutes les liaisons en poésie, les liaisons obligatoires et les liaisons facultatives.

5. La rime.   La rime est essentielle en poésie. On a les rimes masculines, celles où la dernière syllabe est prononcée: **rai | son, trahi | son; cœur, douleur;** et les rimes féminines, quand la voyelle qui rime est suivie d'un **e** muet ou d'une consonne + un **e** muet: **allée, envolée; lour|de, sour|de.**

   Il y a des rimes riches (à trois ou quatre éléments identiques): **alarme, larme;** et des rimes pauvres (à un ou deux éléments identiques): **aimer, rocher.**

   Les rimes peuvent se succéder: *aa - bb*
                     se croiser: *ab - ab*
                     s'embrasser: *a -bb- a*

EXERCICE. Scandez les vers suivants: marquez les syllabes, les pauses, les accents, les liaisons. Indiquez de quel type de vers il s'agit.

J'attendais le moment où j'allais expirer.

Me nourrissant de fiel, de larmes abreuvée,

Encor, dans mon malheur de trop près observée,

Je n'osais dans mes pleurs me noyer à loisir.

Je goûtais en tremblant ce funeste plaisir;

Et, sous un front serein déguisant mes alarmes,

Il fallait bien souvent me priver de mes larmes.

de *Phèdre*
Racine

II. Poème. Le speaker lit le poème. Ecoutez le poème, lu en entier, puis répétez après chaque pause.

Le Dormeur du val

C'est un trou de verdure où chante une rivière
Accrochant follement aux herbes des haillons
D'argent; où le soleil, de la montagne fière,
Luit: c'est un petit val qui mousse de rayons.

Un soldat jeune, bouche ouverte, tête nue,
Et la nuque baignant dans le frais cresson bleu,
Dort; il est étendu dans l'herbe, sous la nue,
Pâle dans son lit vert où la lumière pleut.

Les pieds dans les glaïeuls, il dort. Souriant comme
Sourirait un enfant malade, il fait un somme:
Nature, berce-le chaudement: il a froid.

Les parfums ne font pas frissonner sa narine;
Il dort dans le soleil, la main sur sa poitrine,
Tranquille. Il a deux trous rouges au côté droit.

Arthur Rimbaud

un trou hole   **accrocher** to hang   **des haillons** rags   **luire** to shine   **le val** valley
mousser to bubble   **la nuque** nape of the neck   **baigner** to dip   **le cresson** watercress
sous la nue *poetic for* under the sky   **les glaïeuls** gladiolas   **un somme** nap   **bercer** to rock
frissonner to shiver   **la narine** nostrils   **la poitrine** chest

III. Compréhension. Mauvaise fin d'année. Avant de commencer, lisez le vocabulaire qui précède l'exercice. Ecoutez le dialogue suivant, qui sera lu deux fois. Ensuite, arrêtez la machine et écrivez vos réponses aux questions ci-dessous. Puis écoutez les réponses correctes.

> **jouer faux** to play off-key
>
> **être en mesure** to play with the beat
>
> **une danseuse-étoile** star ballerina
>
> **un cavalier** escort

1. De quoi parlent Mme Fournier et Mme Cavanna? _____
   _____

2. Est-ce que Mme Fournier a trouvé que c'était bien? _____
   _____

3. Comment était le discours du directeur, à son avis? _____
   _____

4. Comment jouait le joueur de trompette? _____
   _____

5. Pourquoi est-ce que Mme Fournier n'a pas apprécié le spectacle de danse classique? _____
   _____

6. Pourquoi est-ce que la fille de Mme Fournier n'était pas au bal? _____
   _____

7. Mme Fournier a des raisons d'être de mauvaise humeur. Qu'est-ce que ses enfants n'ont pas
   eu? _____
   _____

8. Dans quelle activité est-ce que son fils n'a pas été accepté? _____
   _____

9. Quel encouragement est-ce que Mme Cavanna donne à Mme Fournier? _____
   _____

Troisième partie: exercices écrits

I. Formes. Donnez le participe présent, le participe passé, le participe parfait, le participe passif (présent et passé) et le gérondif des verbes indiqués.

> MODÈLE: chanter *chantant, chanté, ayant chanté, étant chanté, ayant été chanté,*
> *en chantant*

1. changer _____
   _____

2. choisir _____

3. prendre _____

4. ouvrir _____

5. mettre _____

6. entendre _____

7. lire _____

II. **Participe ou gérondif?**   Transformez les phrases entre parenthèses en mettant un participe ou un gérondif.

> MODÈLE: (Comme il mangeait sa soupe) il rêvait à un bifteck.
>
> *En mangeant sa soupe, il rêvait à un bifteck.*

1. (Comme il n'avait plus d'argent), il a fait un emprunt à la banque. _____

2. (Quand il a eu terminé sa composition), il l'a relue. _____

3. (Pendant que nous marchions), nous avons eu une grande conversation. _____

4. (Aussitôt que mes examens seront terminés), je partirai en vacances. _____

5. (Il a regardé tout le monde d'un air furieux et) il est sorti. _____

6. (Il lisait son journal), il prenait son petit déjeuner. _____

7. Est-ce que tu écoutes la radio (pendant que tu conduis)? _____

8. Vous ne devez pas traverser la rue (et penser à autre chose). _____

III. Participe, gérondif, ou infinitif? Mettez le verbe entre parenthèses à la forme qui convient: infinitif, gérondif, participe présent, adjectif verbal, etc.

Adieu Rôti

Je ne puis me rappeler sans (rire) _____ qu'un soir, (comme j'étais condamné)

_____ pour quelque espièglerie[1] à aller me coucher sans (souper)

_____ , et (comme je passais) _____ par la cuisine

avec mon triste morceau de pain, je vis et flairai[2] le rôti (qui tournait) _____

à la broche. On était autour du feu; il fallut (tandis que je passais) _____

saluer tout le monde. Quand la ronde fut faite, (je lorgnais)[3] _____

du coin de l'œil le rôti qui avait si bonne mine et qui sentait si bon, je

ne pus m'abstenir de lui faire la révérence[4] et de lui dire d'un ton piteux «Adieu rôti!»

Cette naïveté parut si (plaire) _____ qu'on me fit rester.

Les Confessions
Jean-Jacques Rousseau

IV. Vocabulaire. Dans les phrases suivantes, mettez le mot qui convient dans l'espace vide. Choisissez un mot de cette liste.

un agneau	un bélier	bondir
battre de la queue	banale	dresser l'oreille
gonfler les joues	costaud	la visière
la poitrine	un morceau	goûter
un air	s'incliner	saluer
nourrir	craintif	la casquette

1. L' _____ est le fils de la brebis.

2. Quand mon chien est content, il _____ .

3. Le joueur de trompette _____ , pour produire des sons.

4. Je vais te jouer un _____ sur ma clarinette.

5. Après le concert, le pianiste _____ devant les auditeurs.

6. La petite fille _____ le jeune animal qui n'a plus de mère.

7. Votre histoire est très intéressante; elle n'est pas _____ .

8. Le chat entend le bruit de l'ouvre-boîte et il _____ .

[1]**espièglerie** prank   [2]**flairer** to sniff   [3]**lorgner** to glance at   [4]**faire la révérence** to curtsy

9. Dans les années 30, _____ était à la mode pour les hommes.

10. Cette jeune femme est très _____ ; elle n'aime pas sortir seule le soir.

V. Traduction.

1. While crying she was laughing. _____

2. He kneels in front of the altar (autel). _____
   _____

3. She eats just anything. _____

4. Once they arrived, they ate. _____
   _____

5. Skiing is a difficult sport. _____

6. The dog is wagging his tail. _____
   _____

VI. Concert de la fanfare. Regardez le dessin suivant. Décrivez les actions, les pensées des personnes représentées. Imaginez leur conversation. Vous pouvez utiliser le vocabulaire suggéré.

la fanfare (*band*) • le kiosque (*bandstand*) • discuter • jouer un morceau • s'installer commodément • battre des mains • faillir • un air • apprécier • costaud • donner un coup de tête • la poitrine • tomber sur le derrière • se disputer

_____

_____

_____

_____

_____

_____

_____

_____

_____

_____

_____

_____

La phrase complexe

[Ce chapitre n'a pas de première partie.]

Deuxième partie: exercices oraux / écrits

Faites le travail de cette partie au laboratoire, avec votre cahier.

I. Prononciation. Mettez en pratique tout ce que vous avez appris jusqu'à ce chapitre en lisant le texte suivant.

Un Mas silencieux

Pour aller au village, en descendant de mon moulin, on passe devant un mas bâti près de la route au fond d'une grande cour plantée de micocouliers. C'est la vraie maison du ménager de Provence, avec ses tuiles rouges, sa large façade brune irrégulièrement percée, puis tout en haut la girouette du grenier, la poulie pour hisser les meules, et quelques touffes de foin brun qui dépassent. . .

Pourquoi cette maison m'avait-elle frappé? Pourquoi ce portail fermé me serrait-il le cœur? Je n'aurais pas pu le dire, et pourtant ce logis me faisait froid. Il y avait trop de silence autour. . . quand on passait, les chiens n'aboyaient pas, les pintades s'enfuyaient sans crier. . . A l'intérieur, pas une voix. . .! Rien, pas même un grelot de mule. . . Sans les rideaux blancs des fenêtres et la fumée qui montait des toits, on aurait cru l'endroit inhabité.

de *L'Arlésienne*
Alphonse Daudet

le moulin windmill   **le mas** a farm in Provence   **le micocoulier** kind of tree
le ménager farmer   **les tuiles** tiles   **irrégulièrement percée** with windows at different levels
la girouette weather vane   **hisser** to hoist   **les meules** haystacks   **la touffe** tuft
serrer le cœur to wring the heart   **le logis** dwelling   **aboyer** to bark
les pintades (f.) guinea hens   **le grelot** bell

Troisième partie: exercices écrits

I. Le temps. Faites des phrases avec le vocabulaire suggéré et la conjonction entre parenthèses.

> Modèle: (avant que) Il faut profiter de la vie. Il est trop tard.
> *Il faut profiter de la vie **avant qu'**il soit trop tard.*

1. (jusqu'à ce que) Téléphone à ce bureau. Tu auras une réponse. _____

   _____

2. (comme) Prévert se promène rue de Siam. Il a rencontré Barbara. _____

   _____

3. (à mesure que) L'avion s'élève dans le ciel. Les maisons deviennent toutes petites. _____

   _____

4. (à peine . . . que) Nous rentrons à la maison. Un orage violent a éclaté. _____

   _____

5. (une fois que) Je termine ce travail. Je dirai: ouf! _____

   _____

II. Répétez la phrase suivante en changeant les temps des verbes selon le modèle.

> Modèle: *Quand le chat **est parti,** les souris **dansent.***
> *Quand le chat **sera parti,** les souris **danseront.***
> *Quand le chat **était parti,** les souris **dansaient.***

Dès que les vacances (commencer), les enfants (s'ennuyer).

Verbe principal au présent:

1. _____

Verbe principal au futur:

2. _____

Verbe principal à l'imparfait:

3. _____

III. La condition. Dans les phrases suivantes mettez la conjonction de condition qui convient.

si   à moins que
au cas où   pourvu que
à condition que

1. Le président sera élu _____ il obtienne la majorité des votes.

2. _____ vous aviez du talent, vous pourriez devenir célèbre.

3. Vous arriverez en Californie, _____ un pirate de l'air ne détourne l'avion.

4. Les voyages dans la lune seront un jour populaires _____ nous ayons de nouvelles fusées.

5. Emportez un bon imper pour vos vacances _____ le mauvais temps vous empêcherait de sortir.

IV. La conséquence et le but.   Dans les phrases suivantes mettez l'expression de conséquence ou de but qui convient.

de peur que   aussi
donc   pour
de sorte que   en vue de

1. Ils ont eu une panne de moteur, _____ sont-ils arrivés en retard à notre réception.

2. Les salaires sont très insuffisants, _____ les ouvriers vont se mettre en grève pour protester.

3. Personne ne veut aller faire les commissions; il faudra _____ que ce soit moi qui y aille.

4. Elle ne dit jamais rien en public, _____ son accent la rende ridicule.

5. Nous avons payé assez d'impôts _____ avoir le droit de nous plaindre.

6. Le gouvernement a fait construire un pipe line _____ faire venir du pétrole d'Alaska.

V. La cause et la conséquence.   Dans les phrases suivantes, mettez l'expression de cause ou de conséquence qui convient.

à cause de   tant . . . que
si . . . que   tellement
à force de   parce que
pour   si bien que

1. Je ne peux respirer, _____ j'ai couru.

2. Il est devenu ministre _____ intrigues.

3. Il a été guillotiné _____ avoir assassiné sa mère.

4. Elle a des attitudes _____ affectées _____ elle nous fait rire.

5. L'homme disparaîtra de la terre _____ il ne pourra pas lutter contre les éléments.

6. Les insectes ont _____ d'endurance _____ ils pourraient bien dominer les autres espèces.

7. Ses parents l'ont poussé à travailler _____ il a eu une dépression nerveuse.

8. Elle plaît à tout le monde _____ sa bonne humeur.

VI. L'opposition. Dans les phrases suivantes, mettez l'expression d'opposition qui convient.

> si . . . que   où que
> quand même   quoique
> bien que   quel que soit

1. Elle achète n'importe quoi _____ le prix.

2. _____ je sois très fatiguée, je voudrais aller voir ce film.

3. _____ tu ailles, je te suivrai.

4. Ce couple est très heureux, _____ leurs enfants leur donnent du souci.

5. Je lui ai dit que je ne veux plus la voir, elle continue _____ à me téléphoner.

6. _____ sa richesse, ce millionnaire a bien des problèmes.

VII. Traduction.

1. Before he understands _____

2. Until he comes _____

3. After he understood _____

4. Not until he does _____

5. Provided it does not rain _____

6. Unless you say _____

7. In case they forget _____

8. However tall he might be _____

9. As he was growing up _____

10. As long as I live _____

11. For fear that they die _____

12. Now that you are here _____

13. Because I was late _____

14. Because of his illness _____

Test Answer Key

A. 1. la 2. l' 3. la 4. l' 5. le 6. l'

B. 1. une 2. un 3. des 4. des 5. un 6. une

C. 1. C'est une difficulté importante. 2. Voilà un bon professeur. 3. Vous avez une robe élégante. 4. Ils ont des filles intelligentes.

D. 1. C'est mon livre. 2. Voilà votre autobus. 3. C'est son professeur. 4. Sa mère est malade. 5. Ils ont leurs habitudes. 6. Nous avons notre livre.

E. 1. Ils sont intelligents. 2. Nous allons en ville. 3. Vous êtes fiancés? 4. Je la regarde. 5. Je l'aime. 6. Je lui parle? 7. Tu leur écris? 8. Elle se promène avec elle.

F. 1. qui 2. que 3. qui 4. que

G. 1. sommes / es / sont
2. a / ai / avez
3. vais / va / allez
4. parles / parle / parlons / parlent

H. Les étudiants ne sont pas dans la classe.

I. Cette leçon est difficile? Est-ce que cette leçon est difficile?

J. 1. impératif 2. subjonctif 3. pronom personnel 4. préposition 5. pronom interrogatif 6. adjectif possessif